Plano de Aula

40 semanas

3º ano

GEOGRAFIA

2ª EDIÇÃO

Kelly Cláudia Gonçalves

Plano de Aula
40 semanas

3º ano

GEOGRAFIA

2ª EDIÇÃO

Editora RIDEEL

EXPEDIENTE

Presidente e Editor	**Italo Amadio** *(in memoriam)*
Diretora Editorial	**Katia F. Amadio**
Editor	**Eduardo Starke**
Revisão	**Roseli Simões**
	Valquíria Matiolli
Projeto Gráfico	**Reverson R. Diniz**
Diagramação	**HiDesign Estúdio**
Ilustrações	**R2 Estúdio**

Dados Internacionais de Catalogação na Publicação (CIP)
Angélica Ilacqua CRB-8/7057

```
Gonçalves, Kelly Cláudia
    Plano de aula : 40 semanas : 3º ano : ensino fundamental - anos
iniciais / Kelly Cláudia Gonçalves ; ilustrações de R2 Estúdio. --
2. ed. -- São Paulo : Rideel, 2019.
    6 v. : il.

ISBN: 978-85-339-5801-2 (Plano de aula 3º ano - Português)
ISBN: 978-85-339-5802-9 (Plano de aula 3º ano - Matemática)
ISBN: 978-85-339-5803-6 (Plano de aula 3º ano - Ciências)
ISBN: 978-85-339-5804-3 (Plano de aula 3º ano - História)
ISBN: 978-85-339-5805-0 (Plano de aula 3º ano - Geografia)
ISBN: 978-85-339-5806-7 (Plano de aula 3º ano - Livro do
professor)
ISBN: 978-85-339-5800-5 (Obra completa)

1. Educação infantil 2. Alfabetização I. Título II. R2 Estúdio

19-2403                                                    CDD 372
```

Índices para catálogo sistemático:

1. Educação infantil

© 2023 - Todos os direitos reservados à

EDITORA RIDEEL

EDITORA AFILIADA

Av. Casa Verde, 455 – Casa Verde
CEP 02519-000 – São Paulo - SP
e-mail: sac@rideel.com.br
www.editorarideel.com.br

Proibida a reprodução total ou parcial desta obra, por qualquer meio ou processo, especialmente gráfico, fotográfico, fonográfico, videográfico, internet. Essas proibições aplicam-se também às características de editoração da obra. A violação dos direitos autorais é punível como crime (art. 184 e parágrafos, do Código Penal), com pena de prisão e multa, conjuntamente com busca e apreensão e indenizações diversas (artigos 102, 103, parágrafo único, 104, 105, 106 e 107, incisos I, II e III, da Lei nº 9.610, de 19-2-1998, Lei dos Direitos Autorais).

35798642
0123

Apresentação

A proposta apresentada na Coleção Plano de Aula está de acordo com a proposta da Base Nacional Comum Curricular (BNCC) Ensino Fundamental – Anos Iniciais. Ela apresenta uma progressão das múltiplas aprendizagens, articulando o trabalho com as experiências anteriores e valorizando as situações lúdicas de aprendizagem.

Tal articulação precisa prever tanto a progressiva sistematização dessas experiências quanto o desenvolvimento, pelos alunos, de novas formas de relação com o mundo, novas possibilidades de ler e formular hipóteses sobre os fenômenos, de testá-las, de refutá-las, de elaborar conclusões, em uma atitude ativa na construção de conhecimentos.

A proposta da Coleção é compreender as mudanças no processo do desenvolvimento da criança – como a maior autonomia nos movimentos e a afirmação de sua identidade.

As atividades propostas propõem o estímulo ao pensamento lógico, criativo e crítico, bem como sua capacidade de perguntar, argumentar, interagir e ampliar sua compreensão do mundo.

A progressão do conhecimento ocorre pela consolidação das aprendizagens anteriores e pela ampliação das práticas de linguagem e da experiência estética e intercultural das crianças, considerando tanto seus interesses e suas expectativas quanto o que ainda precisam aprender.

A Coleção assegura, ainda, um percurso contínuo de aprendizagem e uma maior integração entre as duas etapas do Ensino Fundamental, e traz cinco volumes: Língua Portuguesa, Matemática, Ciências da Natureza e Ciências Humanas (História e Geografia).

Com o intuito de garantir o desenvolvimento das competências específicas de área, cada componente curricular possui um conjunto de habilidades que estão relacionadas aos objetos de conhecimento (conteúdos, conceitos e processos) e que se organizam em unidades temáticas.

Entre os componentes curriculares presentes na BNCC, apenas Língua Portuguesa – da área de linguagens – não está estruturada em unidades temáticas. Ou seja, ela se organiza em práticas de linguagem (leitura/escuta, produção de textos, oralidade e análise linguística/semiótica), campos de atuação, objetos de conhecimento e habilidades.

Kelly Cláudia Gonçalves

Sobre a autora

Kelly Cláudia Gonçalves é pedagoga e psicopedagoga. Possui especialização em Alfabetização e Letramento. É diretora de escola privada e autora de diversas coleções pedagógicas, como *Aprendendo com Videoaulas, Atividades para Projetos, Alfabetizando no 2º Período, Cantando & Aprendendo, Cantando e Aprendendo com a Galinha Pintadinha, Cantando e Aprendendo com Datas Comemorativas, Oficina de Reforço Escolar, Oficina para Casa – Educação Infantil e Ensino Fundamental I.*

Sumário

1ª e 2ª semanas – O homem e o espaço terrestre 9

3ª e 4ª semanas – Conhecendo a Terra 14

5ª e 6ª semanas – Administração do município 17

7ª e 8ª semanas – A Terra e suas águas 21

9ª semana – Os rios brasileiros 24

10ª semana – Água e energia elétrica 28

11ª semana – Orientação na Terra 31

12ª semana – Ainda sobre orientação 35

13ª semana – Agricultura 38

14ª semana – Pecuária 43

15ª semana – Pesquisa: pecuária 47

16ª semana – Extrativismo 49

17ª semana – Relevo 53

18ª semana – Pesquisando relevo 57

19ª semana – Clima 59

20ª semana – Estudando o tempo 63

21ª semana – Estações do ano 65

22ª semana – Vegetação 68

23ª semana – Pesquisa: vegetação 72

24ª semana – Ação do homem na natureza 74

25ª semana – O homem e o progresso 78

26ª semana – Pesquisando produtos e suas matérias-primas 82

27ª semana – Seu município e indústria 83

28ª semana – Tipos de indústria 85

29ª semana – Comércio 88

30ª semana – Pesquisa: comércio do bairro 92

31ª semana – Transportes 94

32ª semana – Trânsito 98

33ª semana – Placas de trânsito 102

34ª semana – Entrevistando motoristas 105

35ª semana – Comunicação 108

36ª semana – Ainda sobre comunicação 113

37ª semana – Entrevista: meios de comunicação 116

38ª semana – Estados brasileiros 118

39ª semana – Regiões brasileiras 123

40ª semana – Ainda sobre as regiões brasileiras 127

NOME: _____

DATA: ____/____/_____

1ª e 2ª SEMANAS

O HOMEM E O ESPAÇO TERRESTRE

Nós, seres humanos, fazemos parte de várias comunidades, podendo habitar vários locais.

Nosso planeta é a Terra. Ela é formada por água e solo.

A água salgada está nos mares e oceanos. A água doce, na maioria dos rios, dos lagos e das lagoas.

O solo forma os continentes. Nele construímos nossas moradias.

3º ano — 2A EDIÇÃO

NOME: _____

DATA: ____/____/_____

1ª e 2ª SEMANAS

A Terra é representada:

• Pelo globo terrestre:

• Pelo mapa-múndi:

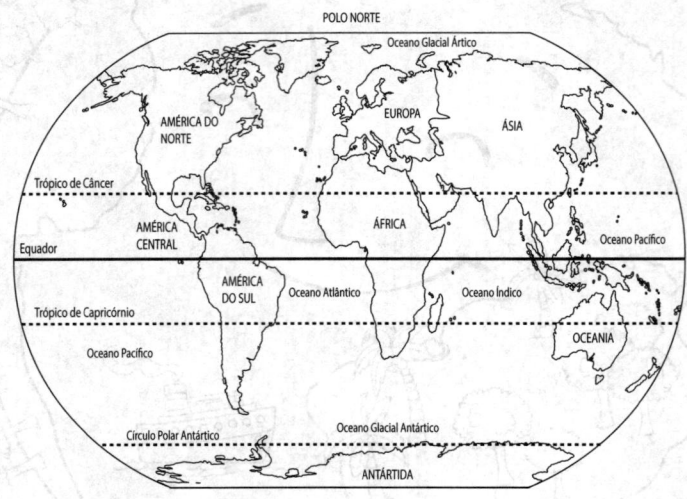

Tanto no globo terrestre como no mapa-múndi, podemos localizar nosso país, o Brasil.

Por meio do mapa, podemos localizar onde moramos, nossa cidade e a comunidade da qual fazemos parte.

NOME: _____

DATA: _____/_____/_____

1ª e 2ª SEMANAS

1. Faça uma representação do planeta Terra.

2. Complete o texto com uma das palavras do quadro:

| brasileiros | líquida | água | Terra | Brasil |
| sólida | mapa-múndi | planeta | globo terrestre | |

A _____ é formada por uma parte _____ e uma parte _____. A maior parte da Terra é formada por _____.

Nosso planeta é a _____, e é representado pelo _____ e pelo _____.

Moramos no _____ e somos _____.

3º ano — 2A EDIÇÃO

11

1ª e 2ª SEMANAS

NOME: _____

DATA: ___/___/_____

3. Observe o mapa e, depois, faça o que se pede:

[Mapa do Brasil com os estados identificados: Roraima, Amapá, Amazonas, Pará, Maranhão, Ceará, Rio Grande do Norte, Paraíba, Pernambuco, Piauí, Acre, Rondônia, Tocantins, Alagoas, Sergipe, Mato Grosso, Bahia, Distrito Federal, Goiás, Minas Gerais, Mato Grosso do Sul, São Paulo, Espírito Santo, Rio de Janeiro, Paraná, Santa Catarina, Rio Grande do Sul]

A) Pinte o estado onde você mora.

B) Qual é a capital do seu estado?

_____

C) Qual é o nome da sua terra natal?

_____

D) Qual é o gentílico das pessoas que nascem em sua terra natal? Exemplos: quem nasce na cidade de Manaus, é manauense ou manauara; na cidade de Palmas, é palmense; na cidade de Salvador, é soteropolitano.

_____

NOME: _____

DATA: ____/____/_____

1ª e 2ª SEMANAS

4. Cole gravuras de pontos turísticos de sua terra natal.

5. Sua cidade passa por algum problema? Cite-os.
_____
_____
_____
_____
_____
_____
_____

3º ano — 2A EDIÇÃO

13

3ª e 4ª SEMANAS

NOME: _____

DATA: ____/____/_____

CONHECENDO A TERRA

O ser humano precisou conhecer o lugar onde vive e as condições da natureza e suas características. Precisou conhecer o clima, o relevo e a vegetação.

O homem desenvolveu a agricultura e a pecuária, moradias e cidades.

Com a formação das cidades, constituíram-se os estados dentro de uma pátria chamada Brasil.

Os estados, então, foram divididos em municípios.

Os municípios são formados por áreas urbanas e rurais.

A parte mais desenvolvida do município é chamada de cidade, onde ficam os comércios, as residências, as praças, os hospitais, os parques e outros.

Na área rural, encontramos as fazendas, os sítios e muito verde.

O conjunto de municípios forma o estado. O conjunto de estados forma o Brasil.

NOME: _____

DATA: ____/____/_____

3ª e 4ª SEMANAS

1. As pessoas vivem em grupos e comunidades. Em uma comunidade, as pessoas dependem umas das outras. Escreva algumas formas de colaborar com sua comunidade.

1. _____

2. _____

3. _____

4. _____

2. Responda:

A) Como os estados estão divididos?
_____
_____

B) O que encontramos nas cidades?
_____
_____

C) Qual é a diferença entre área urbana e área rural?
_____
_____

3º ano – 2A EDIÇÃO

3ª e 4ª SEMANAS

NOME: _____

DATA: ____/____/_____

3. Com relação aos serviços públicos, faça o que se pede:

   A) Escreva o nome das taxas que são cobradas pelo município:

   (_____)   (_____)   (_____)

   B) Também são cobrados impostos sobre propriedades e veículos:

   (_____)   (_____)   (_____)

4. Mostre que você sabe tudo sobre os municípios:

   A) O que separa um município dos municípios vizinhos?
   _____
   _____

   B) Você mora em uma área urbana ou rural? Explique sua resposta.
   _____
   _____

16 3º ano — 2A EDIÇÃO

NOME: _____

DATA: ___/___/_____

5ª e 6ª SEMANAS

ADMINISTRAÇÃO DO MUNICÍPIO

Todo município precisa de uma administração. Quem representa o município é o prefeito, que é eleito pelo povo por meio do voto. Na ausência ou na falta do prefeito, ele é substituído pelo vice-prefeito.

A prefeitura possui várias secretarias, e cada uma delas é representada por um secretário, que é responsável por uma área da administração, como saúde, esporte, lazer, cultura, alimentação e outras.

Os vereadores são representantes dos interesses da população de cada cidade. Elaboram as leis dos municípios e, também, fiscalizam e supervisionam o trabalho do prefeito. Eles são eleitos pelo voto da população para um mandato de quatro anos, que é o mesmo tempo do mandato do prefeito. A câmara municipal é o local de trabalho dos vereadores.

O voto é muito importante, pois ele define as pessoas que irão representar a população e fazer as leis de interesse da cidade. É necessário analisar o candidato, sua postura, atitudes e se possui "ficha limpa".

O voto é um direito da população, que deve exercê-lo de forma consciente. Do ponto de vista histórico, o voto sempre foi importante, por ser uma grande conquista do povo. Temos de colocar no poder pessoas honestas que irão defender os interesses da população.

3º ano — 2A EDIÇÃO

5ª e 6ª SEMANAS

NOME: _____

DATA: ____/____/_____

1. Substitua os desenhos por palavras e forme frases:

   A) Quem governa o município é o 🧑 .

   _____

   B) O 🧑 e os vereadores são eleitos pelo povo por meio do voto em 🗳 .

   _____
   _____

   C) O 🗺 está dividido em estados.

   _____

   D) Cada 🗺(Amazonas) é uma parte do estado.

   _____

2. Complete:
   - Meu estado é... _____
   - Meu município é... _____
   - O prefeito é... _____
   - E o vice-prefeito é... _____

3º ANO — 2A EDIÇÃO

NOME: _____

DATA: ____/____/_____

5ª e 6ª SEMANAS

3. Responda:

A) Quem governa o município?
_____

B) Quem governa o estado?
_____

C) Como o prefeito e o governador são escolhidos? De quanto em quanto tempo acontece?
_____

D) Quem faz as leis do município?
_____

4. Complete as frases com as palavras:

| país | prefeito | leis | município |

A) O _____ é a menor parte do nosso _____.

B) Ele é governado por um _____.

C) Todo município possui suas próprias _____.

3º ano — 2A EDIÇÃO

19

5ª e 6ª SEMANAS

NOME: _____

DATA: ____/____/_____

5. Marque o quadro correto:

	Vereador	Prefeito	Secretário municipal
Administra o município			
Elabora leis			
Governa o município			
Cuida dos serviços públicos			

6. Se a última eleição aconteceu em 2018, quando serão as próximas?
_____

7. Quem é?

A) O atual prefeito de sua cidade?
_____

B) O vice-prefeito?
_____

C) O governador do estado?
_____

D) O presidente do Brasil?
_____

NOME: _____

DATA: ____/____/_____

7ª e 8ª SEMANAS

A TERRA E SUAS ÁGUAS

A Terra apresenta uma grande parte de sua superfície coberta por água. As águas salgadas compreendem a maior parte. Hidrografia é a ciência que estuda os oceanos, os mares, dos rios, os lagos e as lagoas.

A maior parte dessas águas é salgada e forma os oceanos.

Oceano é uma grande extensão de água salgada que contorna os continentes. **Lago** é uma porção d'água cercada de terra por todos os lados. **Lagoa** é uma porção de água cuja dimensão e profundidade são menores que as dos lagos. **Riachos** são rios pequenos.

O Brasil é banhado pelo Oceano Atlântico. A parte dos continentes que é banhada por um oceano recebe o nome de litoral. O espaço entre a água e a terra é chamado de praia.

Muitos rios abastecem a população das cidades, servem para navegação e são considerados hidrovias.

Outros rios estão desaparecendo por causa dos desmatamentos, aterros de suas margens, do lixo acumulado em seu leito, esgotos despejados em suas águas.

Os rios têm duas margens. Os moradores de suas margens são de ribeirinhos.

3º ANO — 2A EDIÇÃO

7ª e 8ª SEMANAS

NOME: _____

DATA: ___/___/_____

1. Complete com as palavras do quadro:

Terra	água	salgada	doce
hidrografia	Oceano	Oceano Atlântico	praia

A _____ é formada por uma quantidade grande de _____. A água pode ser _____ ou _____.

O estudo das águas da terra é chamado de _____.

_____ É uma grande extensão de água salgada.

O oceano que banha o Brasil é o _____.

O espaço entre a água e a terra é a _____.

2. Responda:

A) Você conhece alguma praia do litoral brasileiro? Qual?
_____

B) Ela está em qual estado brasileiro?
_____

C) O seu estado é banhado pelo mar?
_____

D) O que você mais gosta em uma praia?
_____
_____

22

3º ANO — 2A EDIÇÃO

NOME: _____

DATA: ___/___/_____

7ª e 8ª SEMANAS

3. Complete a cruzadinha:

A) Conjunto de ilhas.

B) Porção de terra que avança pelo mar em forma de ponta.

C) Parte de terra que é circundada por água.

D) Faixa de areia próxima ao mar.

E) Grande porção de água cercada de terra.

F) Porção de água do mar que avança pela terra.

G) Lago pequeno.

3º ano — 2A EDIÇÃO

23

9ª SEMANA

NOME: _____

DATA: ____/____/_____

OS RIOS BRASILEIROS

Os rios abastecem as cidades, servem para irrigar as plantações, fornecem peixes como alimentos e são vias de transporte para barcos, navios e balsas. Eles também servem como lazer.

Muitos rios atravessam terrenos acidentados e dão origem a quedas-d'água, como cascatas e cachoeiras.

Nas grandes quedas-d'água são construídas usinas hidrelétricas, que geram energia, que, depois, é distribuída para casas, ruas, indústrias, fazendas entre outros.

O rio se divide em:

- **Nascente**: é o local onde o rio nasce.

- **Leito**: é o lugar por onde o rio corre.

- **Margens**: são as terras banhadas pelo rio, tanto as do lado esquerdo como as do lado direito.

- **Foz:** é o lugar onde o rio despeja suas águas.

O rio São Francisco é o principal rio da Região Nordeste. Suas águas são importantes para a agricultura e para a criação de animais, que se transformam em alimentos para os estados dessa região.

3º ano — 2A EDIÇÃO

NOME: _____

DATA: ___/___/_____

9ª SEMANA

1. Observe os desenhos e escreva as utilidades dos rios:

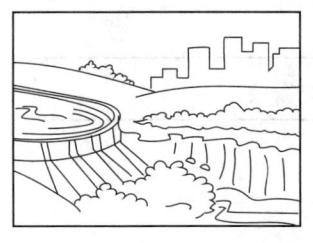

NOME: _____

DATA: ____/____/_____

9ª SEMANA

2. Numere a 2ª coluna de acordo com a 1ª:

(A) Foz ( ) Rio que deságua em outro rio.

(B) Nascente ( ) Lugar onde o rio corre.

(C) Leito ( ) Lugar onde o rio despeja sua águas.

(D) Afluente ( ) Lugar onde o rio nasce.

3. Escreva, de acordo com o número, as partes do rio:

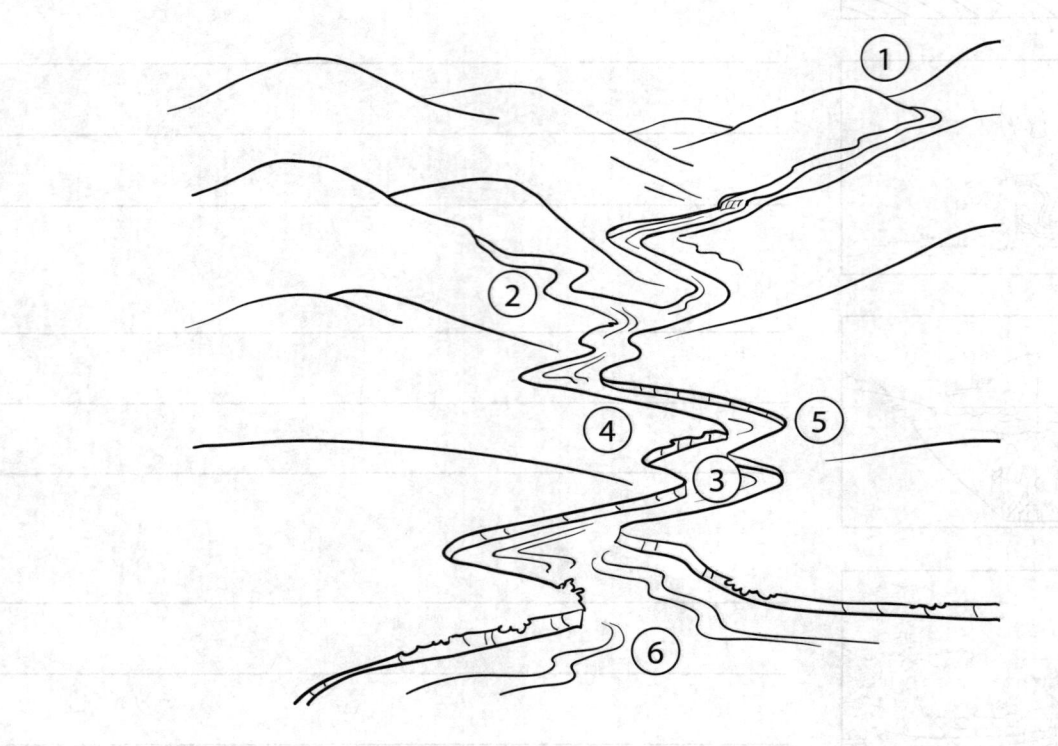

1. _____ 4 e 5. _____

2. _____ 6. _____

3. _____

3º ano – 2A EDIÇÃO

NOME: _____

DATA: _____/_____/_____

9ª SEMANA

4. Escreva o nome de um rio que tem em sua cidade e responda:

   Nome do rio: _____

   Lugar onde nasce: _____
   _____

   Lugar onde termina: _____
   _____

   O rio está poluído? _____
   _____

5. Represente com desenhos:

Rio	Lago

Mar	Lagoa

3º ano — 2A EDIÇÃO

27

10ª SEMANA

NOME: _____

DATA: ___/___/_____

ÁGUA E ENERGIA ELÉTRICA

A força da água é responsável pelo funcionamento das usinas hidrelétricas. Ela é que gera energia elétrica. A força que move as turbinas vem da queda-d'água de um rio, mas pode vir da força do seu volume de água.

Para que uma usina funcione, é preciso construir uma barragem, que servirá para armazenar a água em represas.

Com a construção de usinas, precisamos modificar a paisagem do lugar, destruir a vegetação e, também, do hábitat dos animais. Algumas pessoas são retiradas e levadas para outros lugares.

3º ano — 2A EDIÇÃO

NOME: _____

DATA: ____/____/_____

10ª SEMANA

1. Complete as frases com uma das palavras do quadro:

| rios | paisagem | turbinas | energia elétrica | barragem |

A) A água dos _____ é necessária para construir uma usina.

B) Com a construção de usinas, ocorrem mudanças na _____.

C) As águas precisam movimentar as _____ para gerar energia.

D) A força da água gera _____.

E) Para o funcionamento das usinas, é necessária a construção de uma _____.

2. Por que devemos evitar o desperdício de energia elétrica?
_____

3. Quais benefícios a construção de uma usina traz para a população?
_____

4. O que é necessário para o funcionamento de uma usina?
_____

5. O que gera energia elétrica?
_____

3º ano – 2A EDIÇÃO

10ª SEMANA

NOME: _____

DATA: ___/___/_____

6. Observe o desenho e escreva de onde vem nossa energia, usando as palavras do boxe:

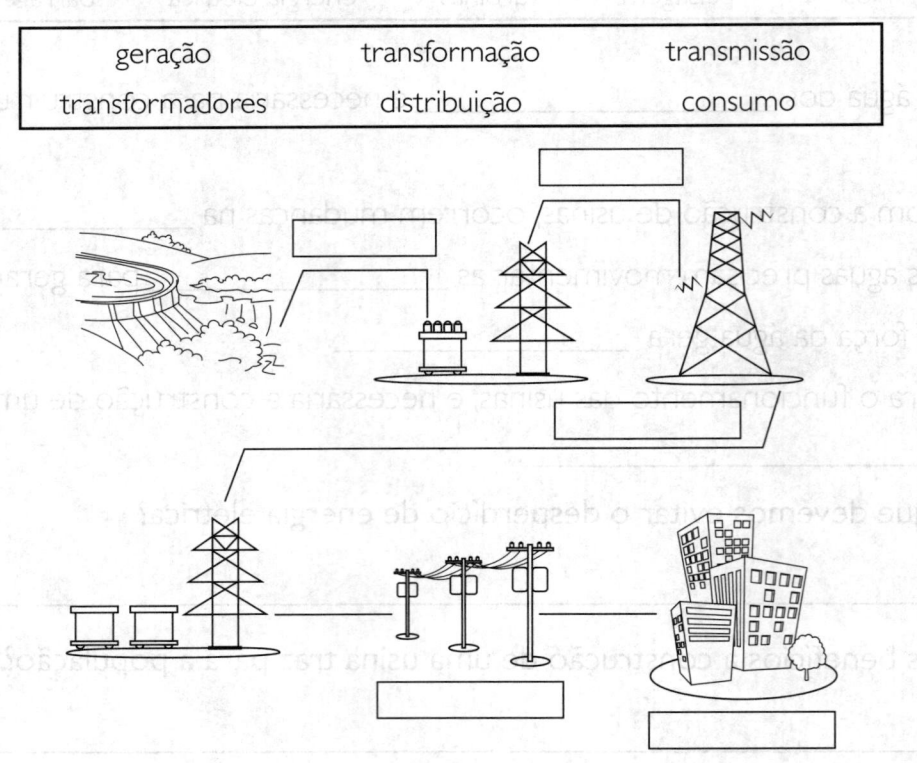

| geração | transformação | transmissão |
| transformadores | distribuição | consumo |

7. Escreva o nome dos objetos de acordo com sua classificação:

| cadeira | geladeira | liquidificador | batedeira | bola | televisor |
| computador | skate | tablet | bicicleta | celular | |

FUNCIONA COM ENERGIA	NÃO FUNCIONA COM ENERGIA

30   3º ano — 2A EDIÇÃO

ORIENTAÇÃO NA TERRA

São várias as maneiras com as quais as pessoas podem se orientar.

- **Bússola:** instrumento científico que contém uma agulha magnetizada que sempre aponta para o norte. É usada nas viagens de navio e avião para indicar a rota.

- **Estrelas:** em algumas regiões do hemisfério sul, incluindo o Brasil, podemos avistar um grupo de estrelas que formam o cruzeiro do sul. Nos dias em que as condições climáticas ajudam na visualização do céu, é fácil localizar a constelação por meio do ponto cardeal sul. Para localizar o cruzeiro do sul, devemos prolongar o lado maior da cruz até o solo com uma linha. Assim, encontramos o sul.

- **Mapas.**

- **Satélites.**

- **Sol:** é uma estrela que ilumina a Terra. Nasce pela manhã bem cedinho e se põe à tardinha, sempre no mesmo local. Ele nasce ao norte, também chamado de **nascente**, e desaparece ao oeste, que também é conhecido por **poente** ou **ocaso**. Assim, podemos identificar os pontos cardeais e os colaterais.

  - Os **pontos cardeais** são: norte, sul, leste e oeste.
  - Os **pontos colaterais** são: nordeste, sudeste, noroeste e sudoeste.

3º ano – 2A EDIÇÃO

11ª SEMANA

NOME: _____

DATA: ____/____/_____

1. Observe o desenho e responda com os pontos cardeais:

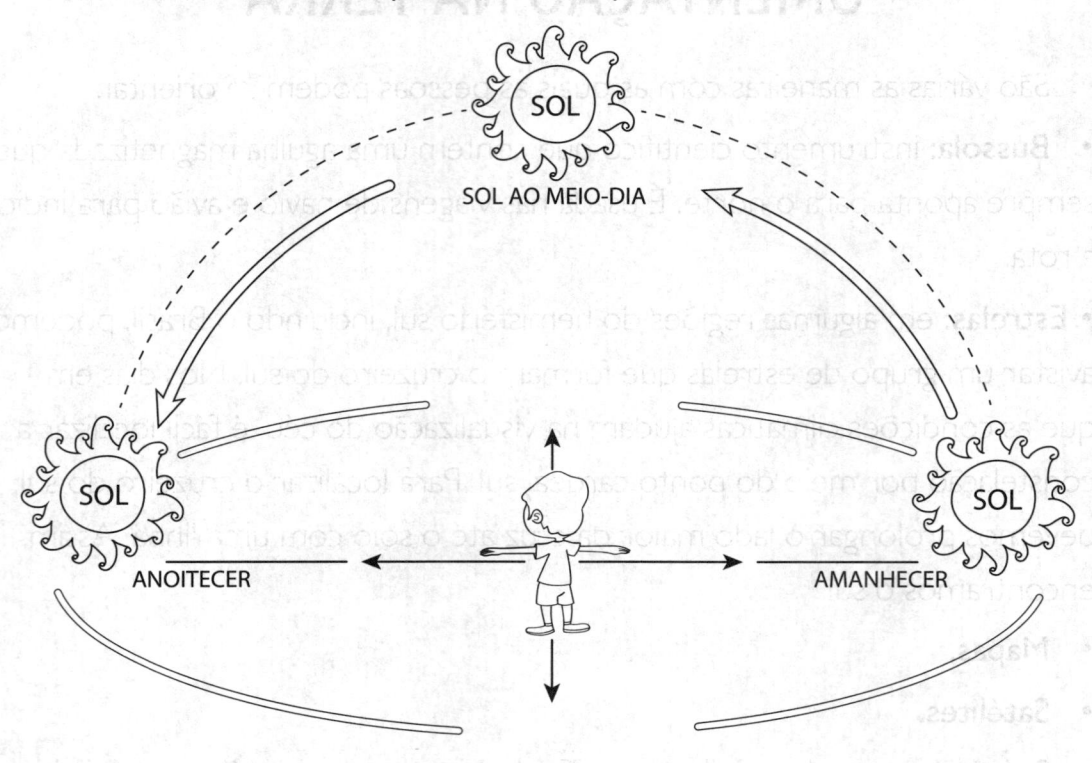

SOL
SOL AO MEIO-DIA

SOL
ANOITECER

SOL
AMANHECER

2. Complete:

A) O lado que o sol nasce chama-se _____.

B) À tardinha, o sol desaparece no _____.

C) O poente é também chamado de _____.

D) Quando você se orienta pelo sol:

• À sua direita fica o _____.

• À sua esquerda fica o _____.

• À sua frente fica o _____.

• Atrás de você fica o _____.

3º ano – 2A EDIÇÃO

NOME: _____

DATA: ____/____/_____

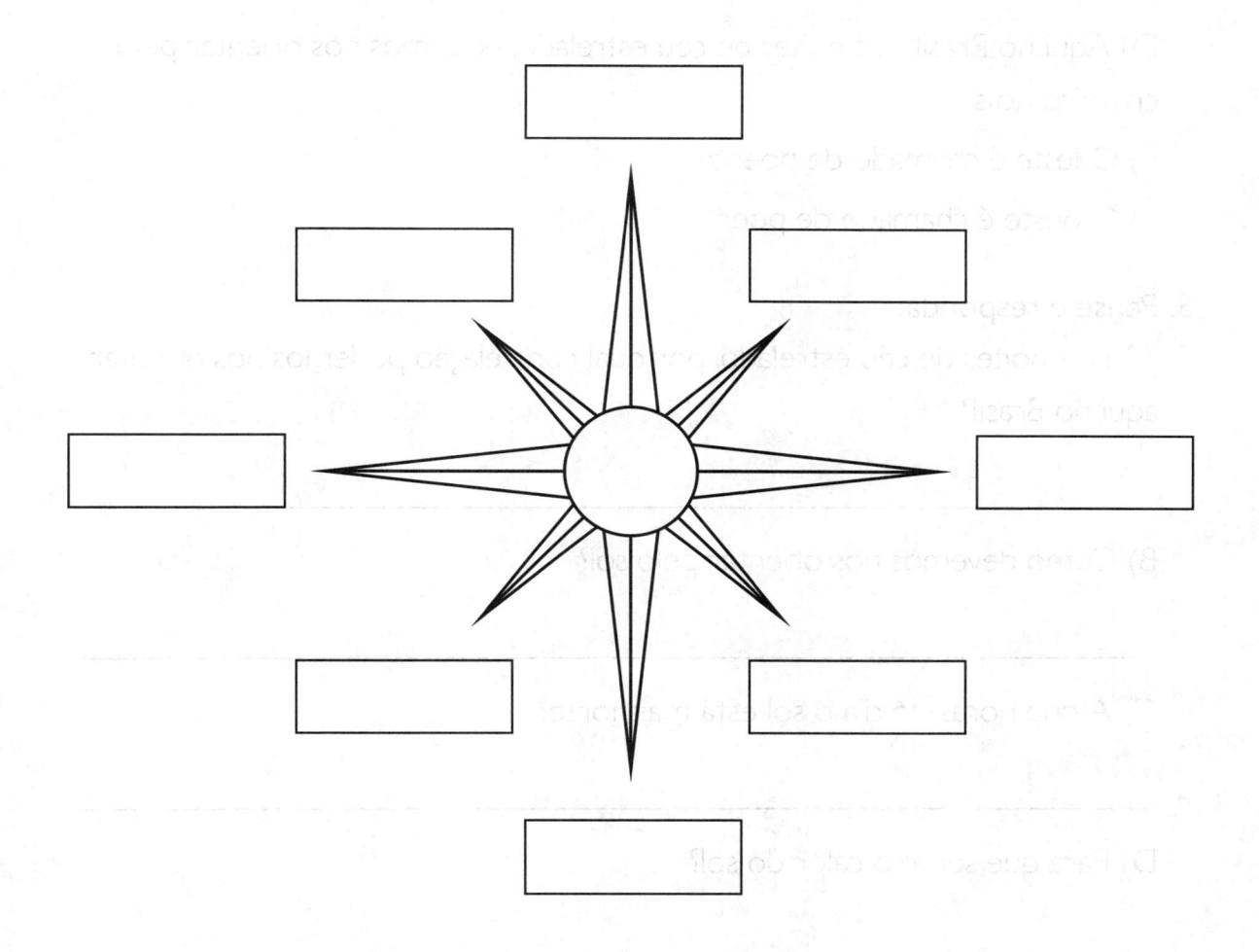

11ª SEMANA

3. Escreva o nome dos pontos cardeais e colaterais:

3º ano – 2A EDIÇÃO

33

11ª SEMANA

NOME: _____

DATA: ___/___/_____

4. Escreva, no caderno, as afirmações corretas.

   A) Os pontos cardeais são: leste, oeste, norte e sul.

   B) O sol nasce e desaparece no mesmo lado.

   C) O sol nasce em um lado e desaparece no lado oposto.

   D) Aqui no Brasil, em noites de céu estrelado, podemos nos orientar pelo cruzeiro do sul.

   E) O leste é chamado de poente.

   F) O oeste é chamado de poente.

5. Pense e responda:

   A) Nas noites de céu estrelado, por qual constelação podemos nos orientar aqui no Brasil?

   _____

   B) Como devemos nos orientar pelo sol?

   _____

   C) A que horas do dia o sol está mais forte?

   _____

   D) Para que serve o calor do sol?

   _____

   E) O que é sol?

   _____

NOME: _____

DATA: ____/____/_____

12ª SEMANA

AINDA SOBRE ORIENTAÇÃO

1. Cole a figura de uma bússola no espaço abaixo e escreva sua utilização:

_____
_____
_____
_____
_____
_____
_____

3º ano — 2A EDIÇÃO

35

12ª SEMANA

NOME: _____

DATA: ____/____/_____

2. Observe o desenho ao amanhecer e faça o que se pede:

   Pinte:

   • De verde, o carro que está indo para o leste.

   • De vermelho, o ônibus que vai para o sul.

   • De amarelo, o transporte que está indo para o norte.

   • De azul, os veículos que estão indo para o oeste.

3. Responda:

   A) Por que nem todas as estrelas nos orientam durante a noite?

   _____

   _____

   B) Qual é o meio de orientação mais seguro? Justifique sua resposta.

   _____

   _____

NOME: _____

DATA: ____/____/_____

12ª SEMANA

4. Escreva, no desenho, as direções que podem ser identificadas por meio da orientação pelo sol:

Agora, leia e responda:

Você está em um campo com um mapa da região nas mãos e precisa tomar a direção leste para chegar ao lugar que os amigos se encontram.

Como achar o lugar com a ajuda da bússola?

_____
_____
_____
_____
_____

3º ano – 2A EDIÇÃO

37

NOME: _____

DATA: ____/____/_____

13ª SEMANA

AGRICULTURA

Agricultura é a atividade muito antiga que tem por finalidade cultivar o solo para produzir alimentos e, também, matéria-prima para a indústria. Ela pode ser:

- Agricultura comercial: os produtos são cultivados e destinados ao comércio.
- Agricultura de subsistência: os produtos são cultivados e destinados para a família do agricultor. O trabalho é realizado pelos membros da família.
- Agricultura orgânica: não é utilizado nenhum produto químico, os agricultores usam adubos naturais para fertizar o solo, não se utilizam máquinas e sua produção é pequena.

Agricultores são as pessoas que lavram a terra; que vivem da agricultura.

A chuva, o clima e os solos férteis favorecem as atividades agrícolas.

Os solos férteis têm nutrientes que ajudam no crescimento das plantas.

Os terrenos planos facilitam o cultivo e o uso de máquinas agrícolas.

3º ANO — 2A EDIÇÃO

NOME: _____

DATA: ____/____/_____

13ª SEMANA

1. Imagine uma família que tem uma fazenda e quer plantar alimentos para seu próprio consumo. Desenhe ou cole gravuras que representem esse tipo de agricultura. E, depois, responda:

[   ]

Nome deste tipo de agricultura: _____
_____

Defina este tipo de agricultura: _____
_____
_____

3º ano — 2A EDIÇÃO

13ª SEMANA

NOME: _____

DATA: ____/____/_____

2. Identifique e complete de acordo com as palavras dos quadros:

| agricultura de subsistência | policultura | agricultura orgânica |
| monocultura | agricultura comercial | fruticultura |

A) É o plantio de vários produtos.
_____

B) É a agricultura praticada em pequenas propriedades para o sustento da família.
_____

C) É o plantio de um único tipo de produto.
_____

D) É a agricultura praticada em grandes propriedades, com o objetivo de lucro.
_____

E) É o cultivo de frutas para a fabricação de sucos e vinhos.
_____

F) Os agricultores usam adubos naturais para fertilizar o solo. A produção é pequena.
_____

3º ano — 2A EDIÇÃO

NOME: _____

DATA: _____/_____/_____

13ª SEMANA

3. Observe as figuras e escreva o que devemos fazer com o solo na prática da agricultura:

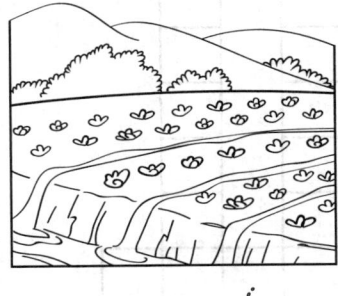

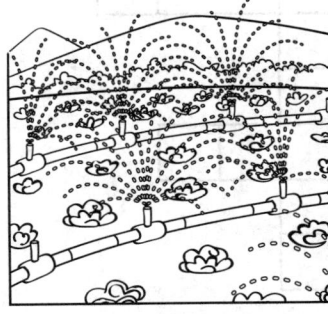

_____
_____
_____
_____

_____
_____
_____
_____

_____
_____
_____
_____

_____
_____
_____
_____

3º ANO — 2A EDIÇÃO

41

13ª SEMANA

NOME: _____

DATA: ____/____/_____

4. Complete as frases e, na sequência, preencha o diagrama.

A) As pessoas que trabalham na agricultura são chamadas de agricultores ou _____.

B) As flores são cultivadas na _____.

C) É o ato de plantar, cuidar e colher. _____

D) O ato de retirar o excesso de água do solo é chamado de _____.

E) _____ é o cultivo de hortas.

F) O ato de molhar o solo é o mesmo que _____.

G) Fertilizar é o mesmo que _____.

H) Ao cultivo de frutas damos o nome de _____.

42

3º ano — 2A EDIÇÃO

NOME: _____

DATA: ___/___/_____

14ª SEMANA

PECUÁRIA

Pecuária é a atividade que envolve a criação de gado.

Temos vários tipos de criação de gado: bovino, suíno, caprino, ovino, bubalino, asinino, equino, avicultura e apicultura.

Esses animais são criados para reproduzir e fornecer alimentos, como carne e ovos, e matéria-prima, como couro, lã, penas, além de servirem como meio de transporte.

Na pecuária extensiva, os animais são criados soltos e alimentam-se de pastagem natural. Os proprietários investem pouco na criação de gados.

Na pecuária intensiva, os animais são criados presos e se alimentam de ração ou pastagem cultivada. Eles recebem assistência veterinária, vacinas e alimentação. São usadas técnicas modernas para a criação e a reprodução. Os produtos são vendidos em grandes quantidades para a indústria e o mercado.

3º ano — 2A EDIÇÃO

43

14ª SEMANA

NOME: _____

DATA: ____/____/_____

1. Escreva o nome dos animais e os tipos de criação:

_____
_____

2. Dê o conceito de:

A) Pecuária extensiva.

_____
_____
_____

B) Pecuária intensiva.

_____
_____

NOME: _____

DATA: ____/____/_____

14ª SEMANA

3. Complete a cruzadinha com o nome das criações:

   A) Criação de cavalos.
   B) Criação de rãs.
   C) Criação de carneiros.
   D) Criação de bois.
   E) Criação de abelhas.
   F) Criação de porcos.
   G) Criação de aves.

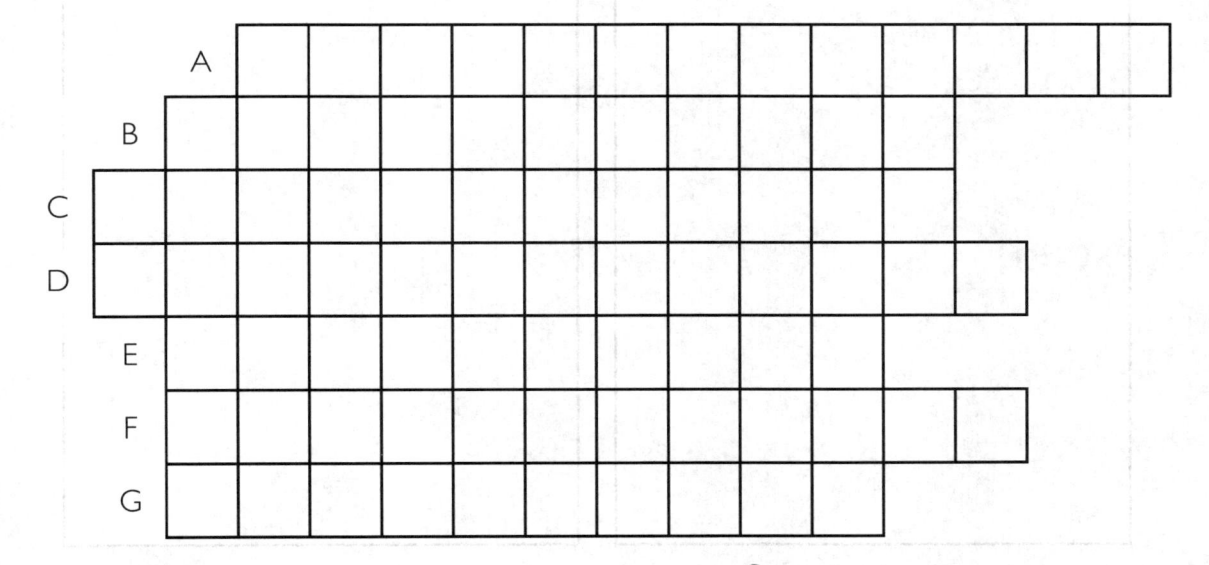

3º ano — 2A EDIÇÃO

14ª SEMANA

NOME: _____

DATA: ___/___/_____

4. Complete os quadros com as palavras:

feijão	carne	cenoura	osso
leite	laranja	couro	algodão
lã	batata	manteiga	beterraba
milho	iogurte	soja	arroz

AGRICULTURA

PECUÁRIA

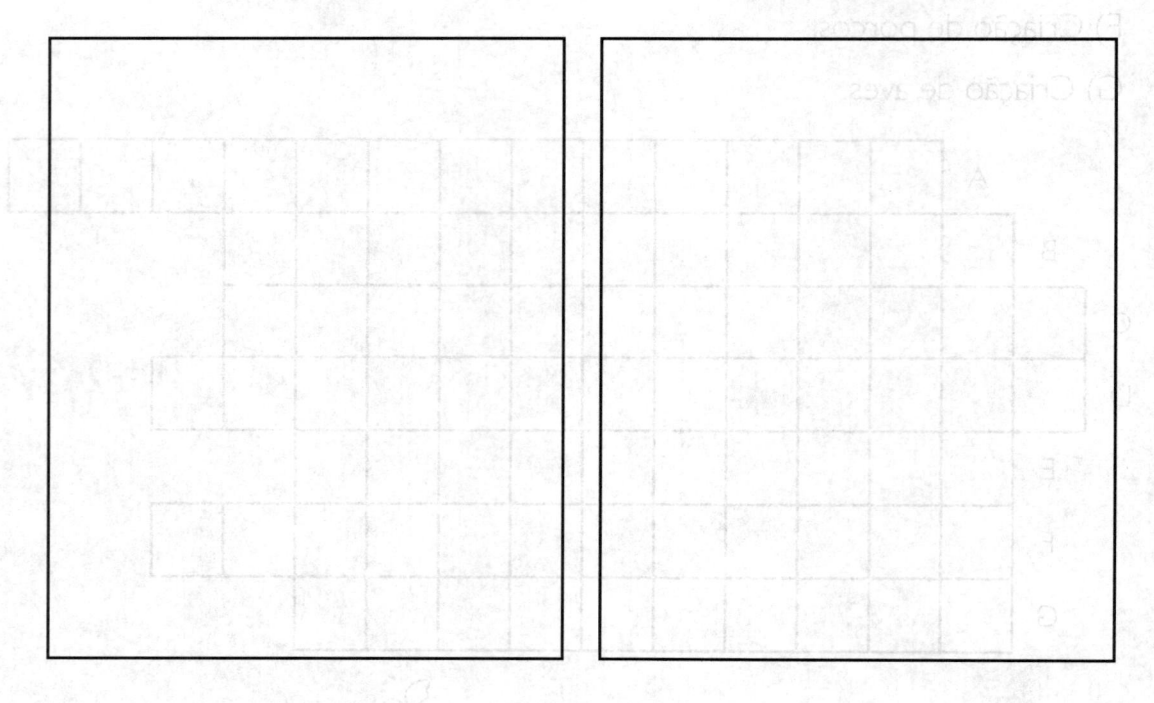

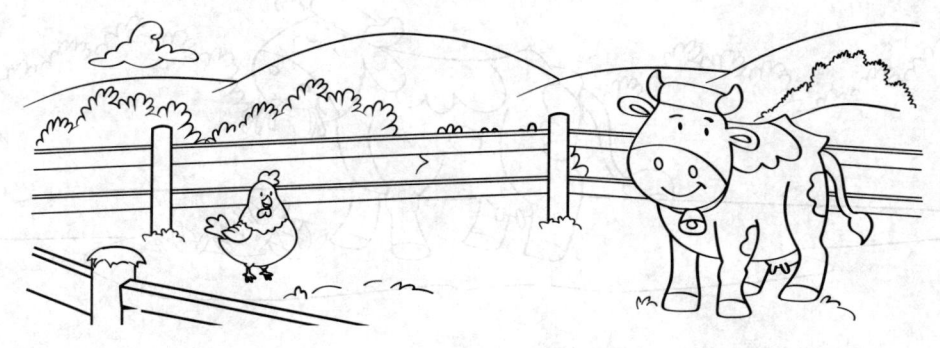

46 3º ANO — 2A EDIÇÃO

NOME: _____

DATA: ____/____/_____

15ª SEMANA

PESQUISA: PECUÁRIA

1. Recorte de jornais, revistas ou panfletos de supermercados produtos feitos com matérias-primas da pecuária e cole-os no espaço abaixo:

15ª SEMANA

NOME: _____

DATA: ____/____/_____

2. Identifique a matéria-prima dos produtos que você colou:

PRODUTO	MATÉRIA-PRIMA

3º ano — 2A EDIÇÃO

NOME: _____

DATA: ___/___/_____

16ª SEMANA

EXTRATIVISMO

Extrativismo é a atividade que consiste em retirar da natureza quaisquer produtos que possam ser utilizados para subsistência ou com objetivo comercial ou industrial.

É a atividade mais antiga desenvolvida pelo ser humano, sendo classificada em:

- **Extrativismo vegetal:** é um processo de exploração dos recursos vegetais naturais de um lugar, no qual o homem retira os produtos que vai encontrando na região. Não é um processo que produz muito. A pessoa tem que ir à procura do seu produto: madeira, borracha, cera, fibras, frutos, nozes, vegetais medicinais. A extração de madeira é a principal atividade extrativa vegetal no Brasil. Ela é muito explorada e, quando não há equilíbrio e bom senso na sua extração, ocasiona prejuízo à natureza.

- **Extrativismo animal:** trata-se da prática da caça e da pesca de animais. Atualmente, existem técnicas mais desenvolvidas para a pesca comercial. Já a caça é uma atividade que deve ser controlada, para que alguns animais não entrem em processo de extinção.

- **Extrativismo mineral:** é a exploração dos recursos minerais da terra que, depois, serão transformados em vários produtos nas indústrias. Normalmente, o extrativismo mineral é realizado no subsolo, que contém água, rochas, fogo, ar, sal, entre outros.

3º ANO — 2A EDIÇÃO

16ª SEMANA

NOME: _____

DATA: ___/___/_____

1. Leia as palavras e complete a tabela:

manganês	seringueira	alumínio	pesca	ouro
	carvão vegetal	bauxita	carnaúba	
hortelã	babaçu	lápis	erva-doce	quartzo
prata	cobre	ferro	borracha	madeira

INDÚSTRIA MINERAL	INDÚSTRIA VEGETAL	INDÚSTRIA ANIMAL

3º ANO — 2A EDIÇÃO

NOME:_____

DATA:_____/_____/_____

16ª SEMANA

2. Complete as frases com uma das palavras do quadro.

| látex | carnaúba | castanha-do-pará |
| babaçu | carvão mineral | lenha | erva-mate |

A) Tipo de amêndoa extraída da Região Norte.
_____

B) Usado para produzir energia.
_____

C) Usado na fabricação de óleos.
_____

D) Usada no chá e também para fazer o chimarrão.
_____

E) Recurso vegetal usado para a fabricação de móveis.
_____

F) Extraído da seringueira para a fabricação de borracha.
_____

G) Cera vegetal usada na fabricação de velas, tintas e vernizes.
_____

3º ano — 2A EDIÇÃO

16ª SEMANA

NOME: _____

DATA: ___/___/_____

3. Numere a 2ª coluna de acordo com a 1ª:

(V) Extrativismo vegetal   ( ) Caça

(A) Extrativismo animal   ( ) Derrubada de matas

(M) Extrativismo mineral   ( ) Extração de ouro

( ) Coleta de frutos

( ) Pesca

( ) Retirada de minérios da natureza

4. Ilustre com desenhos ou gravuras:

EXTRATIVISMO ANIMAL	EXTRATIVISMO VEGETAL

EXTRATIVISMO MINERAL

NOME: _____

DATA: ___/___/_____

17ª SEMANA

RELEVO

Relevo é o nome que se dá às diferentes formas do solo. As irregularidades, saliências e elevações da superfície formam o relevo terrestre.

Ele pode ser modificado pelo homem para a abertura de estradas, túneis ou para a construção de cidades. O vento e a chuva também podem modificá-lo. Os tipos mais comuns de relevo são:

• **Planície:** é um terreno plano com pequenas ondulações.

• **Planalto:** grande extensão de terreno elevado, que pode ser plano ou ondulado, cercado por vales.

• **Montanha:** grande elevação de terra. A parte mais alta da montanha chama-se cume ou pico, e a parte mais baixa, base ou sopé.

• **Monte ou morro:** é uma elevação de terra menor do que as montanhas, que aparece de forma isolada.

• **Serra:** conjunto de montes ou montanhas, que aparecem próximos e em sequência.

• **Cordilheira:** é o conjunto de serras, agrupadas, formando um cordão com extensa área.

• **Vale:** terreno baixo que fica entre montanhas, montes ou morros.

• **Ilha:** porção de terra cercada de água por todos os lados.

• **Dunas:** montes ou colunas de areia que se acumulam pela ação dos ventos.

• **Restinga:** faixa de areia depositada paralelamente à linha de costa litorânea, ligada à terra por uma extremidade.

3º ano — 2A EDIÇÃO

17ª SEMANA

NOME: _____

DATA: ____/____/_____

1. Observe o desenho e escreva a forma de relevo:

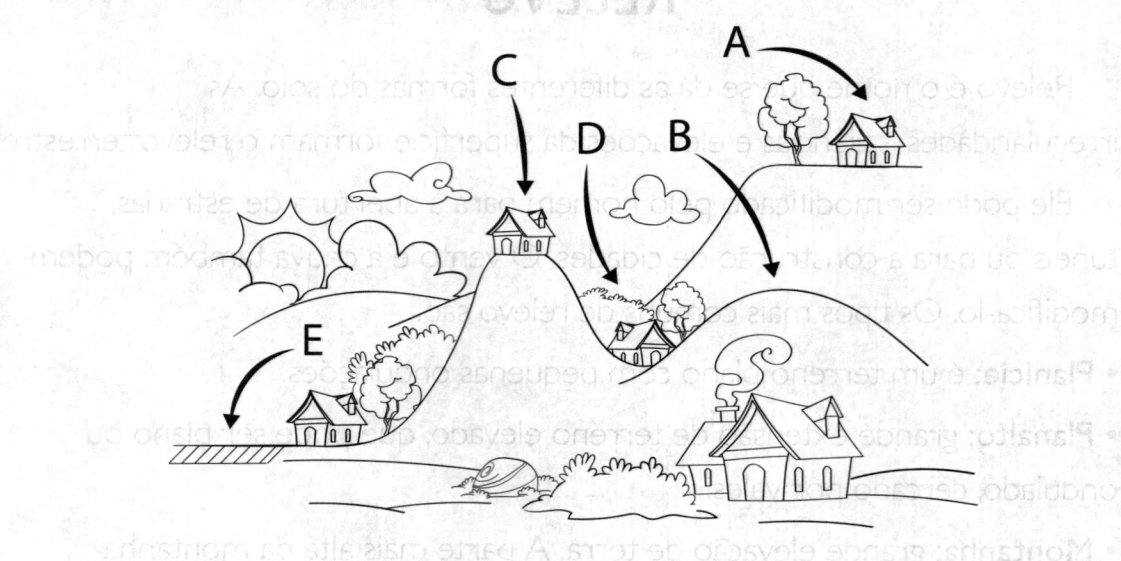

Agora, defina as formas acima:

A) Planalto _____
_____

B) Morro _____
_____

C) Montanha _____
_____

D) Vale _____
_____

E) Planície _____
_____

54   3º ano — 2A EDIÇÃO

NOME: _____

DATA: ____/____/_____

17ª SEMANA

2. Complete a cruzadinha:

A) Conjunto das diferentes formas de terreno da superfície terrestre.

B) Elevação de terra menor que uma montanha.

C) Conjunto de montes ou montanhas, que aparecem próximos e em sequência.

D) Região mais elevada que as terras vizinhas.

E) O mesmo que morro.

F) Região baixa que fica entre duas montanhas.

G) Grande elevação de terra.

H) Porção de terra cercada de água.

I) Região mais plana e mais baixa em relação às terras vizinhas.

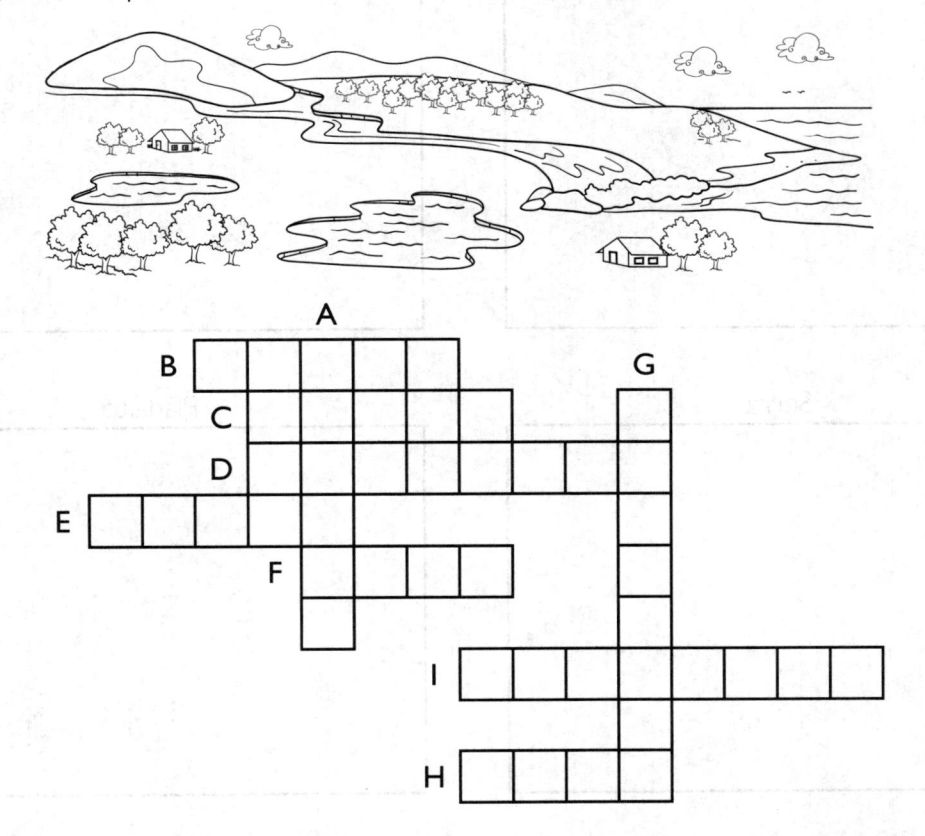

3º ano – 2A EDIÇÃO

55

17ª SEMANA

NOME: _____

DATA: ____/____/_____

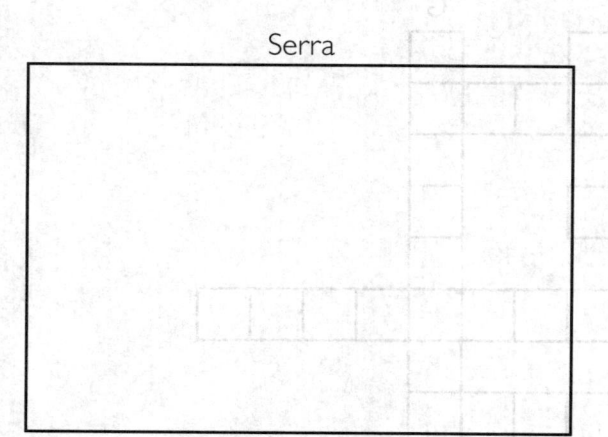

3. Desenhe as formas de relevo:

Montanha	Pico
Monte	Planície
Serra	Planalto

56 3º ANO — 2A EDIÇÃO

NOME: _____

DATA: ____/____/_____

18ª SEMANA

PESQUISANDO RELEVO

1. Recorte de revistas ou livros duas paisagens e identifique as formas de relevo que apresentam.

3º ano – 2A EDIÇÃO

57

18ª SEMANA

NOME: _____

DATA: ___/___/_____

NOME: _____

DATA: ___/___/_____

19ª SEMANA

CLIMA

Para conhecer o clima de um lugar, é necessário estudar durante um período as mudanças de tempo deste local.

Há regiões em que chove todos os meses. Outras passam por longos períodos de estiagem ou seca, quer dizer, sem chuvas.

Alguns lugares são muito frios, como nos polos norte e sul; outros têm temperaturas muito altas, como nos desertos, durante o dia.

As temperaturas, as chuvas, a umidade do ar, as nuvens e os ventos são elementos do tempo.

O clima é responsável pelas estações do ano.

Nas regiões de clima frio, é comum o uso de lareiras ou aquecedores de ar dentro de casa, principalmente no inverno.

19ª SEMANA

NOME: _____

DATA: ___/___/_____

1. Resolva o diagrama:

   A) São as variações de tempo de um determinado lugar.

   B) Clima predominante em locais montanhosos.

   C) O clima mais agradável do ano.

   D) À beira-mar, o clima é quente e _____.

   E) Estação que representa o frio.

   F) É a estação mais florida.

   G) Prevalece de dezembro a março.

NOME: _____

DATA: ____/____/_____

19ª SEMANA

2. Observe o mapa do clima brasileiro e faça o que se pede:

Tipos de clima do Brasil
- EQUATORIAL
- TROPICAL ÚMIDO
- TROPICAL
- SUBTROPICAL
- TROPICAL SEMIÁRIDO

Complete as frases:

A) No clima subtropical, _____ durante todo o ano e faz muito _____.

B) O clima tropical tem duas estações: uma _____ e a outra _____. Predomina na maior parte do território brasileiro.

C) No clima semiárido, faz muito _____ durante o ano todo e quase não _____, ocorrendo secas. Predomina no Nordeste do Brasil.

D) O clima equatorial é quente, úmido e _____ o ano todo. Predomina no Norte do _____.

3º ANO — 2A EDIÇÃO

61

19ª SEMANA

NOME: _____

DATA: ____/____/_____

3. Observe o desenho e escreva os fatores que modificam o clima.

_____

_____

_____

_____

4. O que modifica o clima nos lugares abaixo? Complete usando uma das palavras do quadro:

| umidade do ar | chuva | vento | calor |

A) Montanhas: _____

B) Florestas: _____

C) Litoral: _____

D) Sertão: _____

5. Escreva o nome dos equipamentos usados pelo homem para se adaptar ao clima:

A) Nos climas frios:

_____

B) Nos climas quentes:

_____

3º ano — 2A EDIÇÃO

NOME: _____

DATA: ____/____/_____

20ª SEMANA

ESTUDANDO O TEMPO

1. Analise as imagens e escreva as condições de tempo que elas representam:

2. Qual é a diferença entre tempo e clima?
_____
_____
_____

3. Explique por que a meteorologia é muito importante no dia a dia das pessoas.
_____

4. Procure saber qual clima predomina em sua região e explique-o.
_____

3º ano — 2A EDIÇÃO

NOME: _____

DATA: ____/____/_____

20ª SEMANA

5. Cada criança vai pesquisar, recortar e colar a previsão do tempo de amanhã.

Sugestões de *sites* para pesquisa:

1. Climatempo: <http://www.climatempo.com.br>; 2. Canal do tempo: <http://br.weather.com/>. 3. Centro de Previsão de Tempo e Estudos Climáticos: <http://tempo.cptec.inpe.br/>.

Agora responda:

A) O que a ilustração mostra? Escreva todas as informações que encontrar.
_____

B) Para que serve esse tipo de informação?
_____

C) Os desenhos utilizados ajudam a compreender a informação? Por quê?
_____
_____

D) O que sabe a respeito de previsão do tempo?
_____

3º ano — 2A EDIÇÃO

NOME: _____

DATA: ___/___/_____

21ª SEMANA

ESTAÇÕES DO ANO

As estações ocorrem em quatro diferentes períodos no decorrer do ano. Elas acontecem devido à inclinação do eixo da Terra em relação ao Sol e pelo movimento de translação.

O movimento de translação dura um ano, e sua principal consequência é a mudança das estações do ano.

São quatro as estações: primavera, verão, outono e inverno.

A primavera é a época das flores, período em que a natureza fica bela. Ela ocorre após o inverno.

O verão inicia-se em dezembro e termina em março. Os dias são quentes e longos. Apresenta dias chuvosos.

O outono é a estação que marca a transição entre o verão e o inverno. Inicia-se em março e termina em junho. No outono, há diminuição da umidade do ar, além de os dias e as noites terem a mesma duração. É considerada a estação das frutas.

O inverno é a estação mais fria. Inicia-se em junho e termina em setembro. É caracterizado pelas baixas temperaturas.

3º ANO — 2A EDIÇÃO

21ª SEMANA

NOME: _____

DATA: ____/____/_____

1. Cite uma característica para cada estação do ano:

   A) Verão: _____

   B) Outono: _____

   C) Inverno: _____

   D) Primavera: _____

2. Escreva (V) para verdadeiro e (F) para falso:

   A) (   ) No verão, os dias são ensolarados.

   B) (   ) No outono, faz muito frio.

   C) (   ) No outono, ocorrem as grandes colheitas.

   D) (   ) O inverno é caracterizado pelas baixas temperaturas.

   E) (   ) A primavera é a estação das frutas.

   F) (   ) A primavera é a estação das flores.

3. Relacione a 2ª coluna de acordo com a 1ª:

   (1) Primavera   (   ) Dezembro a março
   (2) Verão   (   ) Junho a setembro
   (3) Outono   (   ) Setembro a dezembro
   (4) Inverno   (   ) Março a junho

NOME: _____

DATA: _____/_____/_____

21ª SEMANA

4. Complete as frases com uma das palavras do quadro.

| verão | frio | outono | inverno | chuvosos |
| primavera | | sol | flores | frutos |

A) O _____ é marcado por muito sol e dias _____ .

B) O _____ é a estação dos _____. As folhas caem das árvores.

C) A _____ é o período em que a natureza fica bela. É a estação mais bonita. A estação das _____.

D) No _____, pode ocorrer a incidência de neve e geadas. É a estação do _____.

5. Cole gravuras ou desenhe roupas que usamos:

NO FRIO	NO CALOR

3º ano — 2A EDIÇÃO

67

22ª SEMANA

NOME: _____

DATA: ___/___/_____

VEGETAÇÃO

Vegetação é o conjunto de plantas nativas de uma região.

São muitas as espécies de vegetais em todo o mundo.

A flora brasileira é riquíssima e tem muitas utilidades.

A ação dos ventos, das chuvas, dos pássaros, das borboletas e das abelhas faz germinar plantas nos mais diversos locais.

Na vegetação brasileira, encontramos:

• **Florestas:** apresentam-se com árvores altas, grandes e perto umas das outras.

• **Cerrado:** a vegetação é rasteira. Suas árvores são baixas, com troncos finos e tortos.

• **Campo:** trata-se da vegetação de pastagem de gado, conhecida como capim ou grama.

• **Caatinga:** apresenta solo seco e pouca vegetação. As árvores são de porte pequeno e espinhentas. É composta por vários tipos de cactos.

• **Vegetação litorânea:** possui composição vegetal variada. No mar, há as algas marinhas, usadas em cosméticos e produtos farmacêuticos.

Os principais tipos de vegetação litorânea são:

• **Vegetação de praia:** em geral, é rasteira e encontrada na faixa litorânea. No entanto, é comum a presença de coqueiros, principalmente no Norte e no Nordeste.

• **Mangue:** vegetação em terrenos alagadiços. Os galhos dos pequenos arbustos se entrelaçam, dificultando a passagem.

NOME: _____

DATA: ___/___/_____

22ª SEMANA

1. Observe os desenhos e escreva o tipo de vegetação:

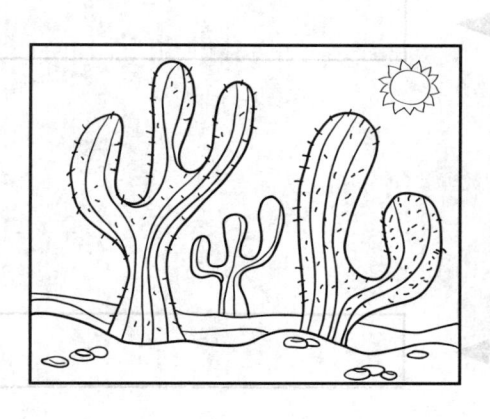

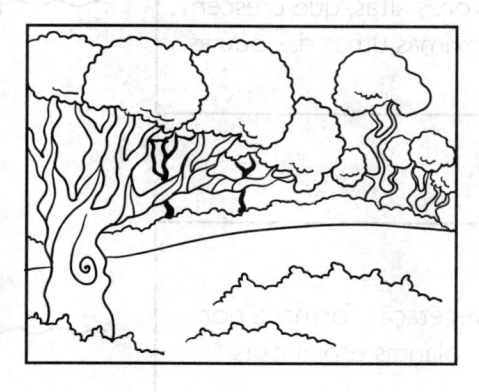

22ª SEMANA

NOME: _____

DATA: ____/____/_____

2. Identifique as vegetações de acordo com as informações:

| Vegetação formada por árvores baixas, de galhos e troncos tortos, e por plantas rasteiras. | ➝ | |

| Vegetação formada por árvores altas, que crescem próximas umas das outras. | ➝ | |

| Vegetação formada por plantas espinhosas. | ➝ | |

| Vegetação baixa, com capim ou grama. Possui árvores isoladas. | ➝ | |

NOME: _____

DATA: ____/____/_____

22ª SEMANA

3. Pinte a resposta correta:

• Pequenos arbustos, mangues, alagados em terrenos baixos:		• Árvores baixas de troncos retorcidos e cactos:		• É formado de capim, arbustos e árvores pequenas:	
litorânea	pantaneira	cerrado	caatinga	campos	cerrado

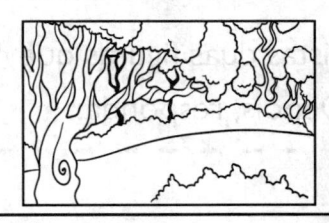

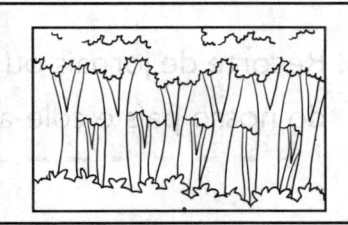

• Onde predominam grandes árvores:		• Formados de grama e vários tipo de capim:	
floresta	cerrado	caatinga	campos

4. Marque (V) para verdadeiro e (F) para falso:

A) (　) Na caatinga, todas as plantas têm espinho.

B) (　) No campo, a flora é baixa.

C) (　) Nas florestas, as árvores são altas e próximas umas das outras.

D) (　) Nas dunas, não há vegetação.

E) (　) No cerrado, as árvores são baixas e tortas.

F) (　) No mar, encontramos algas marinhas.

3º ano – 2A EDIÇÃO

23ª SEMANA

NOME: _____

DATA: ____/____/_____

PESQUISA: VEGETAÇÃO

1. Recorte de jornais ou revistas duas figuras que mostrem tipos de vegetação do nosso país e cole-as. Depois, responda:

Vegetação: _____

Características: _____

_____

NOME: _____

DATA: ___/___/_____

23ª SEMANA

Vegetação: _____

Características: _____

_____

NOME: _____

DATA: ___/___/_____

24ª SEMANA

AÇÃO DO HOMEM NA NATUREZA

Nós precisamos da natureza. Existem lugares que se tornaram reservas florestais ou parques nacionais justamente para a paisagem não ser modificada pelo homem.

O homem transforma o ambiente para melhorar sua condição de vida.

Devido ao progresso, ao crescimento da população, à indústria com sua fumaça poluidora, às queimadas, ao desmatamento e a toda agressão ao solo, é necessário pensar e planejar as alterações do meio ambiente.

Muitas consequências podem ser geradas ao meio ambiente quando ele é modificado pelo homem sem planejamento, sem respeito à natureza. Nossa sobrevivência está ligada à preservação do meio ambiente.

3º ano — 2A EDIÇÃO

NOME: _____

DATA: ___/___/_____

24ª SEMANA

1. Observe as paisagens e faça o que se pede:

A) O que foi modificado pelo homem?
_____
_____

B) Pinte apenas os elementos naturais.

3º ano – 2A EDIÇÃO

75

24ª SEMANA

NOME: _____

DATA: ____/____/_____

2. Classifique como paisagem natural ou modificada.

_____ _____ _____

_____ _____ _____

3. Marque o que faz parte do lugar onde você mora:

☐ ponte   ☐ lojas   ☐ ruas
☐ rio   ☐ estrada   ☐ túnel
☐ animais   ☐ edifícios   ☐ montanha
☐ lago   ☐ árvores   ☐ casas
☐ praça   ☐ pasto   ☐ mar

A paisagem é mais natural ou mais modificada? Justifique sua resposta.

_____
_____
_____

76   3º ano — 2A EDIÇÃO

NOME: _____

DATA: ___/___/_____

24ª SEMANA

4. Responda:

   A) Escreva três consequências sofridas pelo homem por causa da exploração errada da natureza.

   _____

   B) Cite três transformações que o homem faz no meio ambiente para poder usar os transportes.

   _____

   C) Por que existem, hoje, reservas florestais e parques nacionais?

   _____

   D) Escreva soluções para:

   • Queimadas. _____

   • Poluição no meio ambiente e nos rios.

   _____

5. A paisagem natural é aquela que ainda não foi submetida à ação do homem. Marque a alternativa que apresenta apenas elementos da paisagem natural:

   A) Montanhas, mar, rios, animais, florestas.

   B) Prédios, árvores, pássaros, rio.

   C) Pessoas, rodovias, praças, comércio.

   D) Montanhas, mar, rios, animais e indústrias.

6. Uma paisagem modificada é aquela que já sofreu ação humana. Marque apenas a alternativa que apresenta elementos de uma paisagem modificada:

   A) Florestas, rios, animais e mar.

   B) Prédios, casas, cachoeiras, mar, rios, florestas.

   C) Prédios, casas, parques, praças, rodovias.

   D) Construções, diversas espécies de animais, florestas.

3º ANO — 2A EDIÇÃO

NOME: _____

DATA: ___/___/_____

25ª SEMANA

O HOMEM E O PROGRESSO

O mundo de hoje está muito mudado devido às pesquisas e ao desenvolvimento tecnológico.

Assim aconteceu com o comércio, os transportes, as comunicações e a indústria.

Antes, tudo era produzido com as próprias mãos do homem, o que não era fácil. Esse processo era chamado de produção manufaturada.

Com o passar do tempo, ocorreu uma enorme revolução.

A criação e o desenvolvimento de máquinas foram facilitando o dia a dia.

A matéria-prima começou a ser transformada em produtos industrializados por meio das máquinas.

Os minerais também foram industrializados. O ferro retirado da natureza foi transformado em aço e as fábricas o transformaram em peças.

A culinária também é uma forma de produção. As pessoas fazem, em casa, produtos com frutas, verduras, entre outros.

NOME: _____

DATA: ____/____/_____

25ª SEMANA

1. Complete o quadro:

MATÉRIA-PRIMA	PRODUTOS INDUSTRIALIZADOS
Carne, leite, couro, ossos	
Carne, couro, gordura	
Carne, couro, lã	
Mel, cera, própolis	
Ouro, prata	
Milho, trigo	
Cana-de-açúcar	
Ouro, prata	
Petróleo	
Granito, cristais, mármore	

3º ano – 2A EDIÇÃO

79

25ª SEMANA

NOME: _____

DATA: ____/____/_____

2. Recorte de panfletos de supermercados quatro produtos e cole-os na moldura:

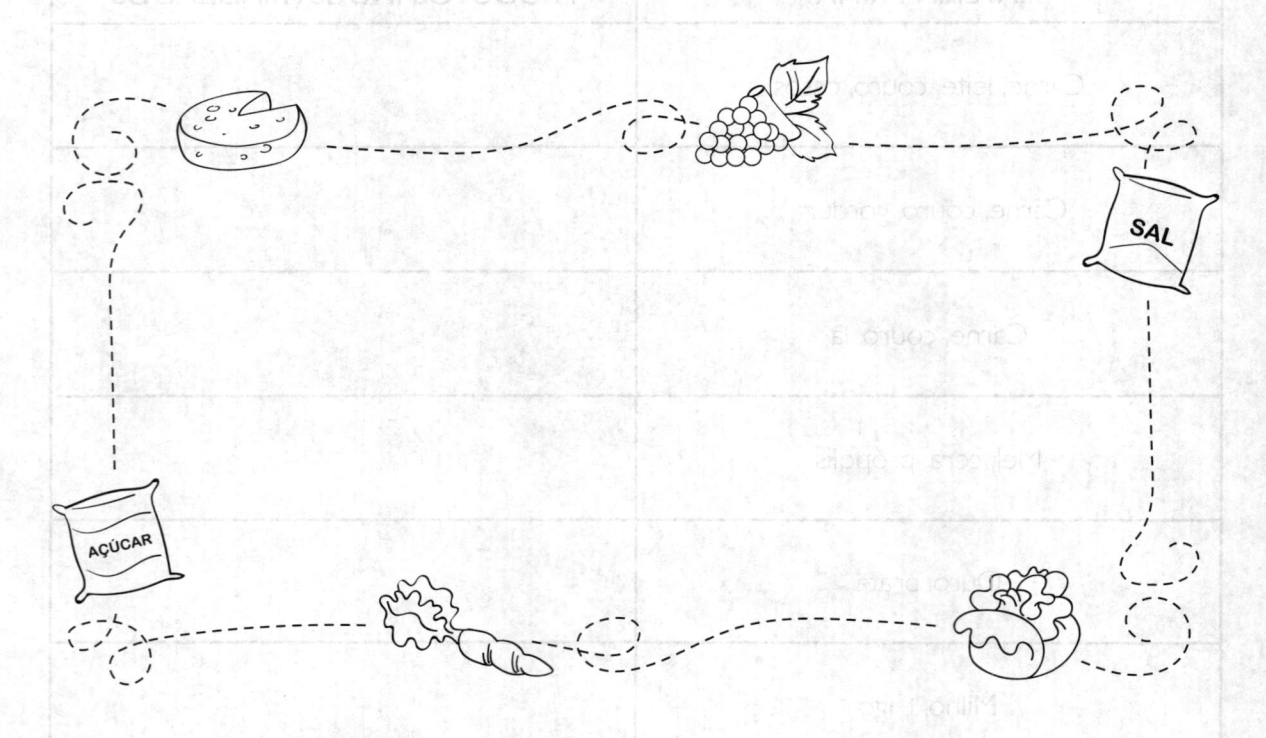

A) Qual o nome do supermercado do panfleto do qual você recortou as imagens?

_____

B) Qual é a matéria-prima de cada produto que você recortou?

1ª _____
2ª _____
3ª _____
4ª _____

80 3º ano – 2A EDIÇÃO

NOME: _____

DATA: _____/_____/_____

25ª SEMANA

3. Responda:

A) O que é matéria-prima?
_____
_____

B) Onde são transformadas as matérias-primas da natureza?
_____
_____

C) De que origem podem ser as matérias-primas?
_____
_____

4. Dê exemplos de matérias-primas de origem:

ANIMAL

VEGETAL

MINERAL

3º ano – 2A EDIÇÃO

PESQUISANDO PRODUTOS E SUAS MATÉRIAS-PRIMAS

1. Anote 10 produtos encontrados em sua casa e complete o quadro:

PRODUTO	MATÉRIA-PRIMA	COMÉRCIO EM QUE FOI COMPRADO

NOME: _____

DATA: ____/____/_____

27ª SEMANA

SEU MUNICÍPIO E A INDÚSTRIA

1. Pesquise e registre:

   • Uma indústria do seu município.

   • O que produz?

   • Quando foi inaugurada?

   • Matéria-prima utilizada para a fabricação dos produtos.

   • Só os funcionários realizam todo o processo de produção? Justifique sua resposta.

   • Há exportação dos produtos fabricados?

   • Por que essa indústria é importante para o desenvolvimento do seu município?

   Agora, você deverá transformar as perguntas em um texto explicativo.

3º ano — 2A EDIÇÃO

27ª SEMANA

NOME: _____

DATA: ___/___/_____

NOME: _____

DATA: ___/___/_____

28ª SEMANA

TIPOS DE INDÚSTRIA

A indústria utiliza máquinas que permitem a produção de produtos em grande quantidade.

Ela pode ser extrativa ou de transformação.

- **Indústria extrativa:** trabalha na retirada ou na extração de produtos naturais (vegetais, minerais, animais).
- **Indústria de transformação:** transforma a matéria-prima em produtos industrializados. Ela pode ser de base ou de bens de consumo.

As indústrias de base trabalham diretamente com a matéria-prima, transformando-a para ser utilizada no preparo de outros produtos. As indústrias química, mecânica, siderúrgica e metalúrgica são indústrias de base.

As indústrias de bens de consumo transformam a matéria-prima em produtos que vão diretamente para os consumidores, a saber: indústria alimentícia, de bebidas, automobilísticas, têxteis, editoriais, gráficas, eletroeletrônicas.

Em vários estados brasileiros, foram criados distritos industriais. São locais fora dos centros urbanos, onde são instaladas várias indústrias.

3º ano – 2A EDIÇÃO

28ª SEMANA

NOME: _____

DATA: ____/____/_____

1. Identifique as indústrias:

| bebidas | têxtil | metalúrgica | siderúrgica | pesca | ervas |
| garimpos | madeira | caça | química | raízes | alimentícia |

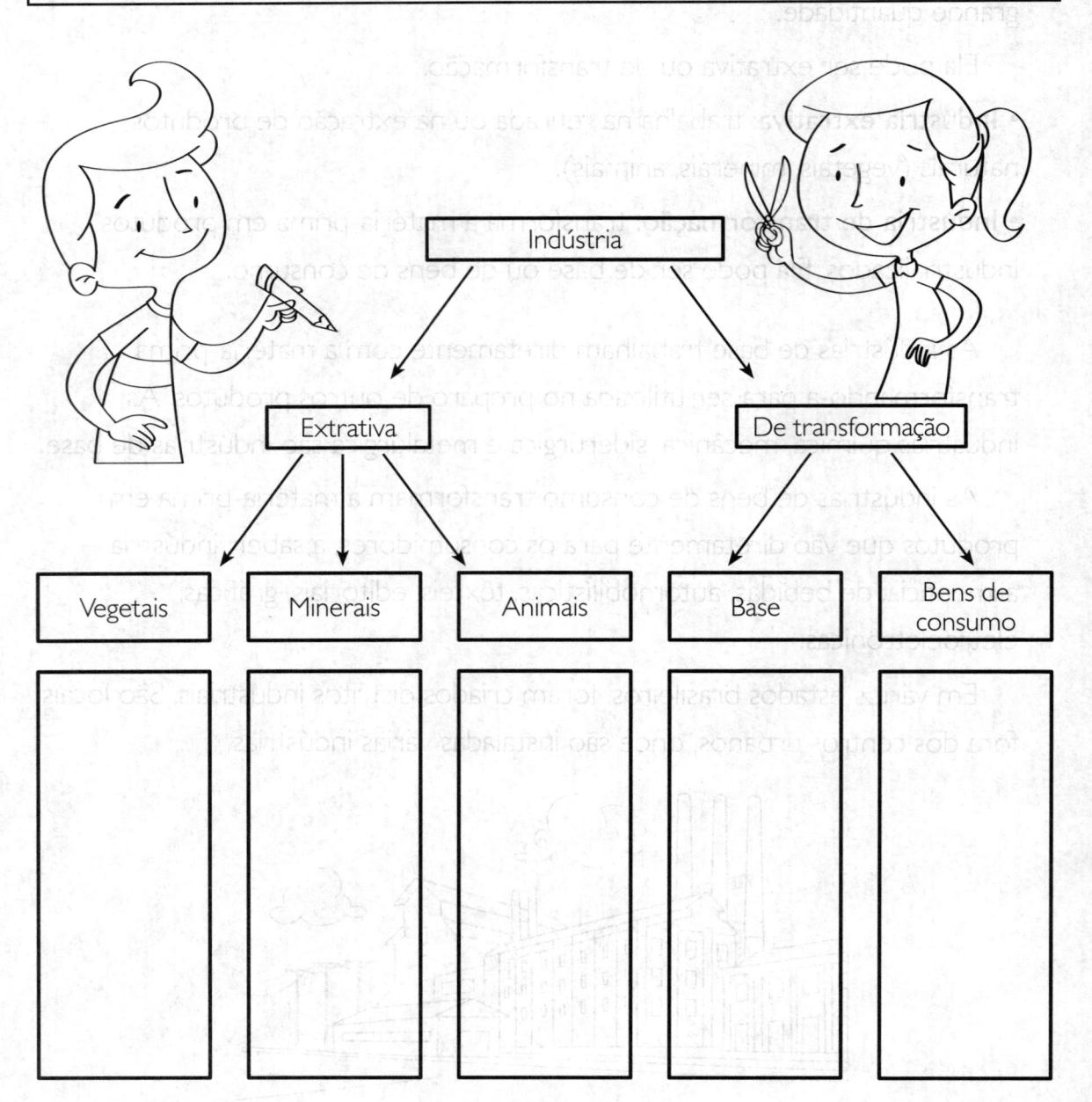

Indústria
→ Extrativa
→ De transformação

Extrativa: Vegetais | Minerais | Animais
De transformação: Base | Bens de consumo

86 3º ANO — 2A EDIÇÃO

NOME: _____

DATA: ____/____/_____

28ª SEMANA

2. Complete as frases com uma das palavras do quadro:

| animal | farinha | alimentícias | industrial | vegetal | matéria-prima |
| indústrias | mineral | indústrias | têxteis | trigo | automobilísticas |

A) A matéria-prima pode ser de origem _____, mineral e animal.

B) As _____ são de vários tipos. As que produzem alimentos são _____. As indústrias que produzem tecidos são as _____. As que fabricam peças de carros são as _____.

C) A _____ é um produto industrial, porque foi fabricado pela indústria. O trigo foi a _____ utilizada na fabricação da farinha.

3. Escreva (V) para verdadeiro e (F) para falso:

A) (   ) As indústrias fabricam produtos em grandes quantidades.

B) (   ) A matéria-prima é transformada no comércio.

C) (   ) As indústrias fabricam apenas um tipo de produto.

D) (   ) A indústria utiliza máquinas que permitem a produção dos produtos.

E) (   ) A indústria de transformação é aquela que transforma a matéria-prima em produtos industrializados.

3º ano – 2A EDIÇÃO

87

29ª SEMANA

NOME: _____

DATA: ___/___/_____

COMÉRCIO

Comércio é a atividade de compra, troca ou venda de mercadorias.

Os supermercados, as lojas, os *shoppings*, os bares, os restaurantes e as farmácias são estabelecimentos comerciais.

O nosso comércio é muito variado. Há pessoas realizando funções diferentes.

Quem trabalha no comércio é chamada de comerciário.

Os donos de lojas são os comerciantes, porém os comerciantes que não têm lojas são chamados de ambulantes ou camelôs.

As pessoas que fazem compras no comércio são chamadas de consumidores ou clientes.

Comércio atacadista é a venda de produtos em grande quantidade.

Comércio varejista é aquele em que as mercadorias são vendidas em pequenas quantidades, direto para o consumidor.

Nas ações em que há troca ou venda e circule dinheiro é uma espécie de comércio.

NOME: _____

DATA: ___/___/_____

29ª SEMANA

1. Complete o diagrama do comércio:

   A) Local onde se compram pães.
   B) Local onde se compram óculos.
   C) Lugar onde se compram livros.
   D) Lugar onde se compram remédios.
   E) Lugar onde se compram sapatos.
   F) Lugar onde se compram roupas.
   G) Lugar onde se compra carne.

3º ANO – 2A EDIÇÃO

NOME: _____

29ª SEMANA

DATA: ___/___/_____

2. Desembaralhe as sílabas e forme as respostas:

A) É a compra, troca ou venda de mercadorias.

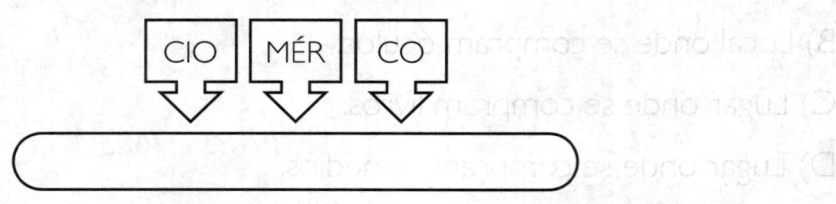

| CIO | MÉR | CO |

⬇ ⬇ ⬇

_____

B) Pessoas que trabalham no comércio.

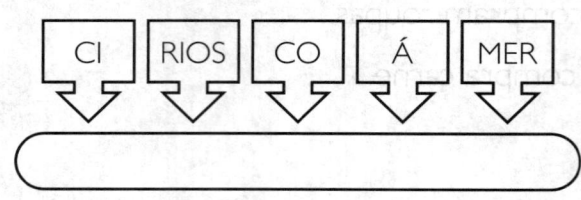

| CI | RIOS | CO | Á | MER |

⬇ ⬇ ⬇ ⬇ ⬇

_____

C) Nome dado aos donos de loja:

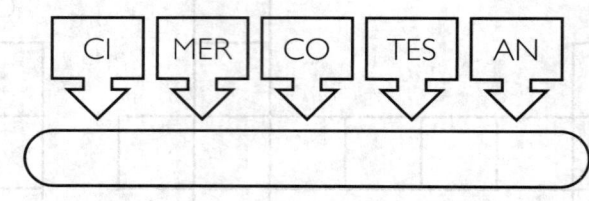

| CI | MER | CO | TES | AN |

⬇ ⬇ ⬇ ⬇ ⬇

_____

D) Comerciante que não tem loja. Vende seus produtos na rua.

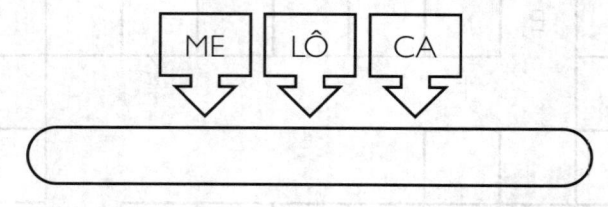

| ME | LÔ | CA |

⬇ ⬇ ⬇

_____

E) Produtos vendidos em grande quantidade.

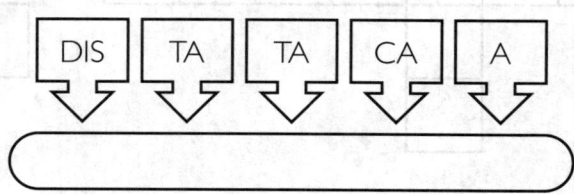

| DIS | TA | TA | CA | A |

⬇ ⬇ ⬇ ⬇ ⬇

_____

90

3º ano – 2A EDIÇÃO

NOME: _____

DATA: ___/___/_____

29ª SEMANA

F) Produtos vendidos diretamente para o consumidor final.

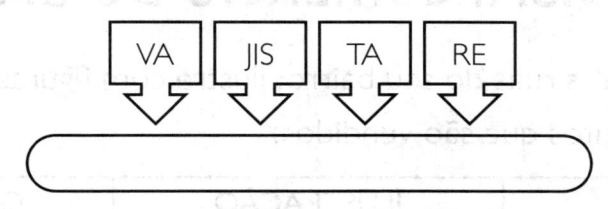

VA → JIS → TA → RE →

_____

3. Responda:

A) Explique, com suas palavras, como o homem se abastecia no passado.
_____

B) Onde os consumidores dos centros urbanos preferem fazer suas compras?
_____

C) Qual é o nome dado às pessoas que fazem compras?
_____

4. Escreva o ponto comercial onde podemos adquirir os seguintes produtos:

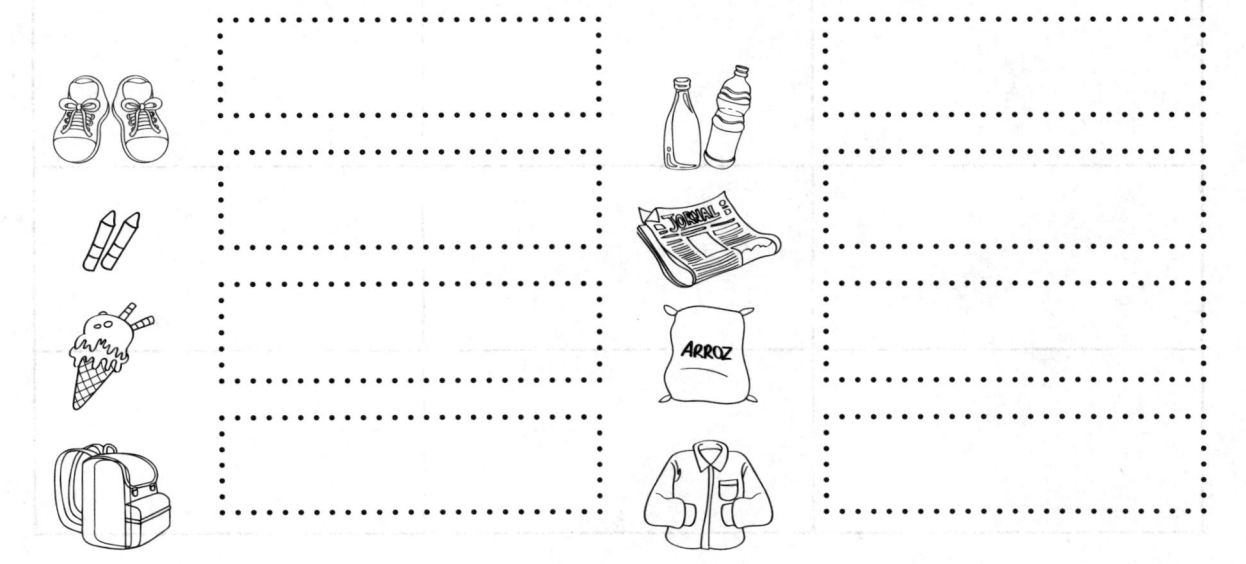

3º ano – 2A EDIÇÃO

91

30ª SEMANA

NOME: _____

DATA: ____/____/_____

PESQUISA: COMÉRCIO DO BAIRRO

1. Dê uma volta pelas ruas do seu bairro, ilustre com figuras ou desenhos e registre os produtos que são vendidos:

COMÉRCIO	ILUSTRAÇÃO	O QUE VENDE

NOME: _____

DATA: ____/____/_____

30ª SEMANA

2. Observe a propaganda e faça o que se pede:

> Para uma alimentação mais leve e nutritiva
>
> VIVA BEM
> LEITE EM PÓ DESNATADO
>
> o leite desnatado.

A) Qual é o produto que está sendo anunciado?
_____

B) Qual é a marca do produto?
_____

C) Qual é a matéria-prima utilizada?
_____

D) Qual é a origem da matéria-prima?
_____

E) Quais são as vantagens anunciadas do produto?
_____

3º ano — 2A EDIÇÃO

NOME: _____

DATA: ___/___/_____

31ª SEMANA

TRANSPORTES

Os meios de transporte são importantíssimos para o desenvolvimento. Eles levam pessoas, animais e mercadorias de um local para o outro.

Os transportes podem ser terrestres, aéreos ou aquáticos.

- **Terrestres:** trafegam pelo solo. Exemplos: carro, bicicleta, moto, charrete, trem, metrô, caminhão. O ônibus, o trem e o metrô são transportes coletivos.

- **Aéreos:** trafegam no ar. Exemplos: avião, helicóptero, teleférico.

- **Aquáticos:** trafegam pelas águas dos mares e rios. Barcos, navios, balsas.

3º ANO — 2A EDIÇÃO

NOME: _____

DATA: ____/____/_____

31ª SEMANA

1. Classifique os transportes:

| 1 | Terrestre | 2 | Aquático | 3 | Aéreo |

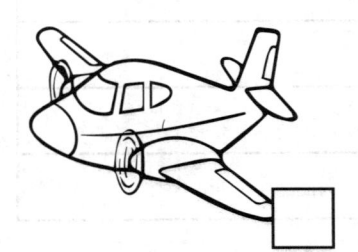

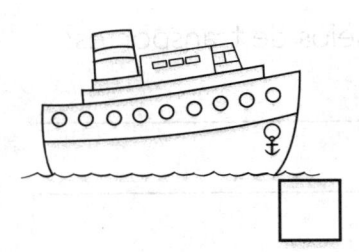

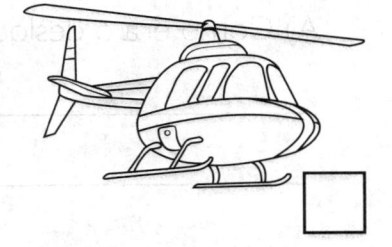

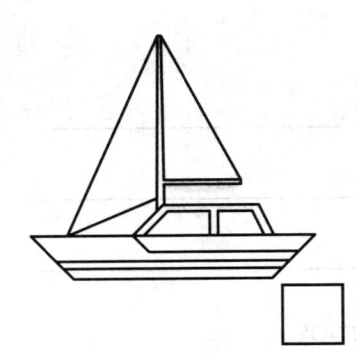

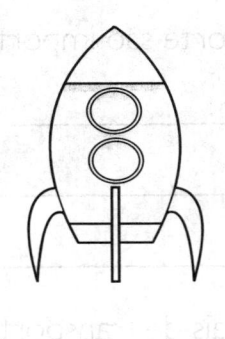

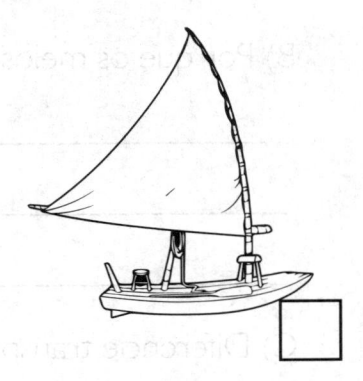

3º ano — 2A EDIÇÃO

31ª SEMANA

NOME: _____

DATA: ___/___/_____

2. Dê exemplos:

Transportes terrestres	Transportes aquáticos	Transportes aéreos

3. Responda:

A) Como era o deslocamento do homem antes dos meios de transportes?

_____
_____
_____

B) Por que os meios de transporte são importantes?

_____
_____
_____

C) Diferencie transportes fluviais de transportes marítimos.

_____
_____
_____

3º ANO – 2A EDIÇÃO

NOME: _____

DATA: ____/____/_____

31ª SEMANA

4. Escreva nos lugares corretos:

HELICÓPTERO, CAVALO, MOTO, JATINHO, METRÔ, ÔNIBUS, CARRO, NAVIO, SUBMARINO, TREM, AVIÃO, BARCO

AÉREO	AQUÁTICO	TERRESTRE

Quais transportes acima são considerados coletivos e por quê?

_____
_____
_____
_____

3º ano — 2A EDIÇÃO

NOME: _____

32ª SEMANA

DATA: ___/___/_____

TRÂNSITO

Trânsito é o tráfego de pessoas e veículos nas ruas e avenidas.

As pessoas que se locomovem a pé são chamadas de pedestres.

Quando há circulação de grande número de veículos, dizemos que o tráfego está intenso.

O trânsito varia de acordo com o horário, número de veículos e de pedestres.

Os sinais de trânsito servem como orientação para os pedestres e motoristas.

Os semáforos de pedestre se encontram nos postes, e só devemos atravessar quando estiverem na cor verde.

Os semáforos para veículos se encontram em locais altos, para que todos possam enxergar.

- Vermelho significa: pare!
- Amarelo significa: atenção!
- Verde significa: pode passar!

As placas podem ser de advertência ou regulamentação. Apesar de toda a preocupação com a segurança no trânsito, há uma quantidade enorme de acidentes todos os dias. Isso acontece devido à falta de respeito. O Brasil é um dos países com o maior índice de infratores.

NOME: _____

DATA: ____/____/_____

32ª SEMANA

1. Anote (C) para correto e (I) para incorreto. Depois, reescreva as frases incorretas, corrigindo o erro.

   (   ) Tenho de olhar apenas para um lado antes de atravessar a rua.

   (   ) As faixas de pedestre dão mais segurança aos pedestres na hora de atravessar a rua.

   (   ) Chamamos a circulação de veículos de trânsito.

   (   ) Para trafegar na cidade, não é necessário o cinto de segurança.

   (   ) Todos devem estar atentos à sinalização de trânsito.

   (   ) No semáforo de veículos, a cor vermelha significa pode passar.

   Correção:

   A) _____
   B) _____
   C) _____

2. Pinte os semáforos com as cores que representam seus comandos:

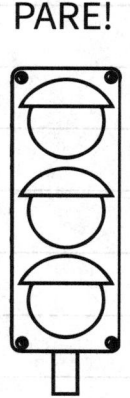

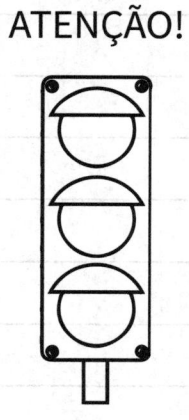

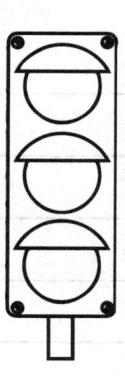

   PARE!   ATENÇÃO!   SIGA!

3º ANO — 2A EDIÇÃO

32ª SEMANA

NOME: _____

DATA: ____/____/_____

3. Encontre 6 palavras relacionadas ao trânsito e forme frases com cada uma delas.

T	P	E	D	E	S	T	R	E	L	M
R	Ç	W	P	L	A	C	A	S	D	O
Â	A	F	G	H	I	J	K	L	M	T
N	C	N	O	P	Q	R	T	S	U	O
S	E	G	U	R	A	N	Ç	A	A	R
I	D	X	Z	A	B	C	D	N	E	I
T	E	G	U	R	A	N	Ç	A	Q	S
O	N	F	G	H	I	J	K	L	M	T
V	T	N	O	P	Q	R	S	T	U	A
E	A	U	T	O	M	Ó	V	E	L	X

_____
_____
_____
_____
_____
_____
_____

100   3º ANO — 2A EDIÇÃO

NOME: _____

DATA: ___/___/_____

32ª SEMANA

4. Agora é com você!

A) Como você vai para escola?
_____
_____

B) O trajeto até a escola é longo ou curto?
_____
_____

C) Como é a sinalização no trajeto de casa para a escola?
_____
_____

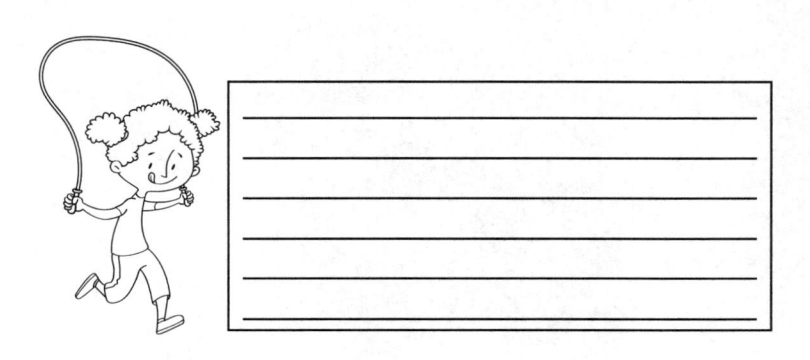

D) O que você acha mais perigoso no trajeto?
_____
_____

E) Relate tudo o que você consegue perceber no trajeto que faz.
_____
_____

3º ANO — 2A EDIÇÃO

33ª SEMANA

NOME: _____

DATA: ___/___/_____

PLACAS DE TRÂNSITO

As placas de trânsito servem para orientar pedestres e motoristas.

Elas podem ser de regulamentação ou advertência.

| Proibido o trânsito de pedestres | Proibido ultrapassar | Área escolar próxima | Proibido o trânsito de bicicletas |

1. Escreva o significado das placas:

NOME: _____

DATA: ___/___/_____

33ª SEMANA

2. Siga a sinalização e encontre a chegada.

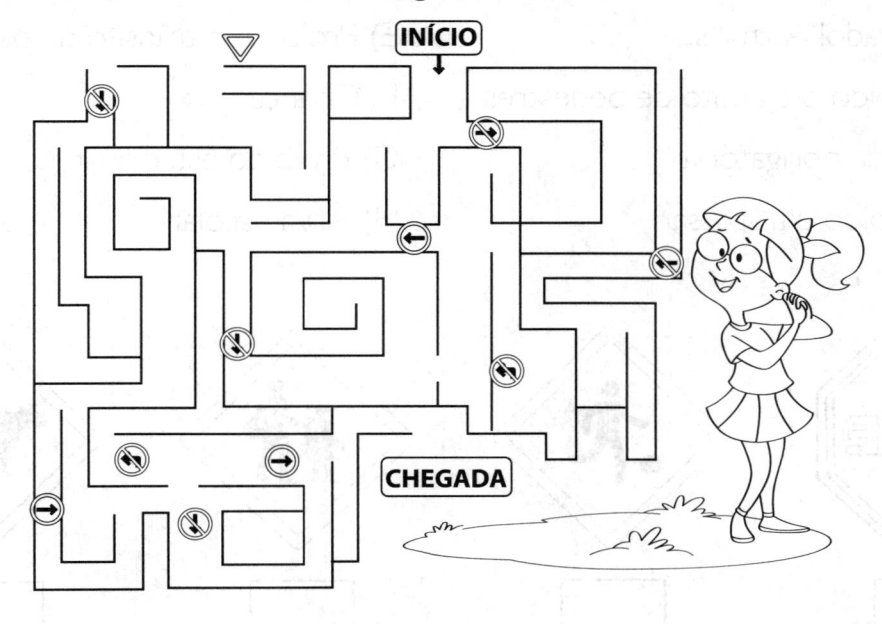

Tempo gasto: _____

3. Pesquise e desenhe as placas de trânsito.

Saliência ou lombada	Estacionamento regulamentado

Dê a preferência	Curva acentuada à direita

3º ano — 2A EDIÇÃO

103

4. Relacione corretamente a placa e seu significado.

A) Cuidado! Animais
B) Proibido o trânsito de pedestres
C) Parada obrigatória
D) Proibido ultrapassar
E) Proibido o trânsito de bicicletas
F) Crianças
G) Proibido estacionar
H) Área escolar

NOME: _____

DATA: ____/____/_____

34ª SEMANA

ENTREVISTANDO MOTORISTAS

Você deverá entrevistar dois motoristas, registrar suas observações e, depois, explicar suas conclusões aos colegas e ao professor.

Nome do motorista: _____

Tipo de carteira: _____

Quais exames foram necessários para a aquisição da Carteira Nacional de Habilitação (CNH)?
_____

Você repetiu algum exame? Quantas vezes?
_____

Sua carteira está atualizada? Quando vence?
_____

Você dirige quando bebe? Por quê?
_____

Quando vai viajar, você faz uma revisão no seu veículo? Para que serve essa revisão?
_____

O que você acha dos sinais de trânsito? Para que eles servem?
_____

Você já foi multado alguma vez? Qual foi a infração?
_____

Já sofreu acidente? Qual foi o motivo?
_____

3º ano – 2A EDIÇÃO

34ª SEMANA

NOME: _____

DATA: _____/_____/_____

2º ENTREVISTADO

Nome do motorista: _____

Tipo de carteira: _____

Quais exames foram necessários para a aquisição da Carteira Nacional de Habilitação (CNH)?
_____
_____

Você repetiu algum exame? Quantas vezes?
_____

Sua carteira está atualizada? Quando vence?
_____

Você dirige quando bebe? Por quê?
_____

Quando vai viajar, você faz uma revisão no seu veículo? Para que serve essa revisão?
_____

O que você acha dos sinais de trânsito? Para que eles servem?
_____

Você já foi multado alguma vez? Qual foi a infração?
_____

Já sofreu acidente? Qual foi o motivo?
_____

NOME: _____

DATA: _____/_____/_____

34ª SEMANA

Você notou semelhanças ou diferenças nas respostas das pessoas que você entrevistou? Registre suas observações.

_____
_____
_____
_____
_____
_____
_____
_____
_____
_____
_____
_____

3º ano — 2A EDIÇÃO

35ª SEMANA

NOME: _____

DATA: ____/____/_____

COMUNICAÇÃO

As comunicações estão sempre se desenvolvendo. O homem primitivo se comunicava por meio de gestos e pintura nas cavernas. Atualmente, a comunicação, além de poder ser gestual, também pode ser falada, escrita, virtual e de muitas outras formas.

No passado, os desenhos representavam algo acontecido ou algo esperado. Foi assim que surgiram os primeiros símbolos, que foram sendo ampliados no decorrer dos anos. Hoje, a forma mais moderna de comunicação é a internet. Por meio dela, podemos conversar com pessoas em qualquer lugar do mundo. É conhecida como comunicação virtual.

NOME: _____

DATA: ___/___/_____

35ª SEMANA

1. Recorte de jornais e revistas 10 figuras de meios de comunicação e cole-as no espaço abaixo:

35ª SEMANA

NOME: _____

DATA: ____/____/_____

• Agora, classifique os meios de comunicação em falado, escrito, falado e escrito, e virtual:

MEIO DE COMUNICAÇÃO	CLASSIFICAÇÃO

NOME: _____

DATA: ____/____/_____

35ª SEMANA

2. Desembaralhe as letras, descubra o meio de comunicação e forme uma frase que esteja relacionada ao conteúdo:

A) | FO | NE | LE | TE |
_____

B) | TA | CAR |
_____

C) | NAL | JOR |
_____

D) | LA | FA |
_____

E) | TER | IN | NET |
_____

F) | DIO | RÁ |
_____

3. Responda:
   A) Que outros meios de comunicação você conhece?
   _____

   B) Em sua opinião, qual é o meio de comunicação mais importante já criado?
   _____

3º ANO – 2A EDIÇÃO

111

35ª SEMANA

NOME: _____

DATA: _____/_____/_____

C) Se você pudesse criar um meio de comunicação, como seria?
_____

D) Por que você acha que se comunicar é importante?
_____

E) Como podem ser as formas de comunicação?
_____

F) Escreva um meio de comunicação virtual.
_____

G) Agora, registre:

- O programa de TV de que mais gosta:
_____

- O nome de um jornal de sua cidade:
_____

- Um livro que já leu e gostou muito:
_____

- Uma forma de comunicação ultrapassada:
_____

- Uma forma de comunicação moderna:
_____

NOME: _____

DATA: ____/____/_____

36ª SEMANA

AINDA SOBRE COMUNICAÇÃO

1. Escreva os meios de comunicação que você usaria para:

   A) Comunicar seus pais que vai sair.
   _____

   B) Parabenizar um amigo que mora longe pelo aniversário.
   _____

   C) Assistir a um programa de entrevistas.
   _____

   D) Ouvir um noticiário político.
   _____

   E) Saber o resultado de um jogo de futebol.
   _____

   F) Pedir para usar o banheiro.
   _____

2. Descubra o meio de comunicação!

   A) Na tela, você assiste a desenhos animados.
   _____

   B) Levo mensagens escritas para as pessoas. Sou entregue pelo carteiro.
   _____

3º ANO – 2A EDIÇÃO

36ª SEMANA

NOME: _____

DATA: ___/___/_____

C) Sou usado por estudantes. Em minhas páginas, levo conhecimentos.

_____

D) Quando você liga, escuta notícias e músicas.

_____

E) Levo mensagens urgentes com poucas palavras.

_____

3. Preencha o diagrama da comunicação:

A) Sou escrito e levo notícias fresquinhas até a sua casa.

B) Sou falado e transmito imagem.

C) Sou falado. Converso com pessoas a distância.

D) Mando notícias curtas e urgentes.

E) Posso ouvir boas músicas com ele.

F) sou escrito e entregue pelos correios.

114 3º ano — 2A EDIÇÃO

NOME: _____

DATA: ____/____/_____

36ª SEMANA

4. O telefone público é muito importante para a comunicação entre as pessoas. Infelizmente esse bem público está sendo danificado por vândalos. O que acha dessa atitude?
_____

A) Dê sugestões incentivando as pessoas a conservarem os bens públicos.
_____

5. Responda às questões e, depois, converse sobre suas respostas com o professor e colegas:

	SIM	NÃO
Próximo à sua casa tem algum telefone público?		
Você já viu algum telefone público danificado?		
Na sua escola tem telefone público?		
Você sabe o código para fazer uma ligação a cobrar dentro do seu estado?		
Você conhece alguém que colecione cartões telefônicos?		

3º ano — 2A EDIÇÃO

37ª SEMANA

NOME: _____

DATA: ____/____/_____

ENTREVISTA: MEIOS DE COMUNICAÇÃO

Entrevistado(a): _____

Idade: _____

1. Sobre meios de comunicação, responda:

   A) Qual o que você mais gosta?
   _____

   B) Qual você utiliza todos os dias?
   _____

   C) Qual você utiliza raramente?
   _____

   D) Qual você nunca utilizou?
   _____

   E) Quais meios de comunicação seus avós utilizavam?
   _____

   F) São muito diferentes dos que você usa hoje? Você utiliza algum deles?
   _____

   G) O que achou do avanço dos meios de comunicação?
   _____

   H) Escreva uma vantagem desse avanço.
   _____

   I) Escreva uma desvantagem desse avanço.
   _____

NOME: _____

DATA: ____/____/_____

37ª SEMANA

2. Observando seus registros e os dos colegas, anote:

O QUE MUDOU...	O QUE CONTINUA IGUAL...

3º ano — 2A EDIÇÃO

ESTADOS BRASILEIROS

O Brasil é formado por 26 estados e um Distrito Federal. Os estados são as unidades com maior posição dentro da organização política e administrativa do país. A localidade que abriga a sede do governo chama-se capital.

A divisão política e administrativa brasileira é de 1988.

Os estados brasileiros e o Distrito Federal estão divididos em cinco regiões: Norte, Nordeste, Centro-Oeste, Sudeste e Sul.

NOME: _____

DATA: ____/____/_____

38ª SEMANA

1. Observe o mapa e faça o que se pede:

A) Pinte seu estado de verde.

B) Qual é o seu estado? E a capital do seu estado?

_____

C) Você mora na capital ou no interior? Como se chama sua cidade.

_____

D) Pinte de amarelo os estados que fazem limite com o seu.

E) Agora, escreva o nome deles.

_____

3º ano – 2A EDIÇÃO

119

38ª SEMANA

NOME: _____

DATA: ___/___/_____

2. Ainda sobre o mapa, responda:

   A) Qual é a capital do Brasil?
   _____

   B) Faça uma seta vermelha indicando a capital do Brasil no mapa.

   C) Quantos estados formam o Brasil?
   _____

3. Escreva no diagrama o nome das capitais:

A) Minas Gerais   B) Pará   C) Piauí   D) Bahia   E) São Paulo

F) Rio de Janeiro   G) Paraná   H) Ceará   I) Goiás   J) Rio Grande do Sul

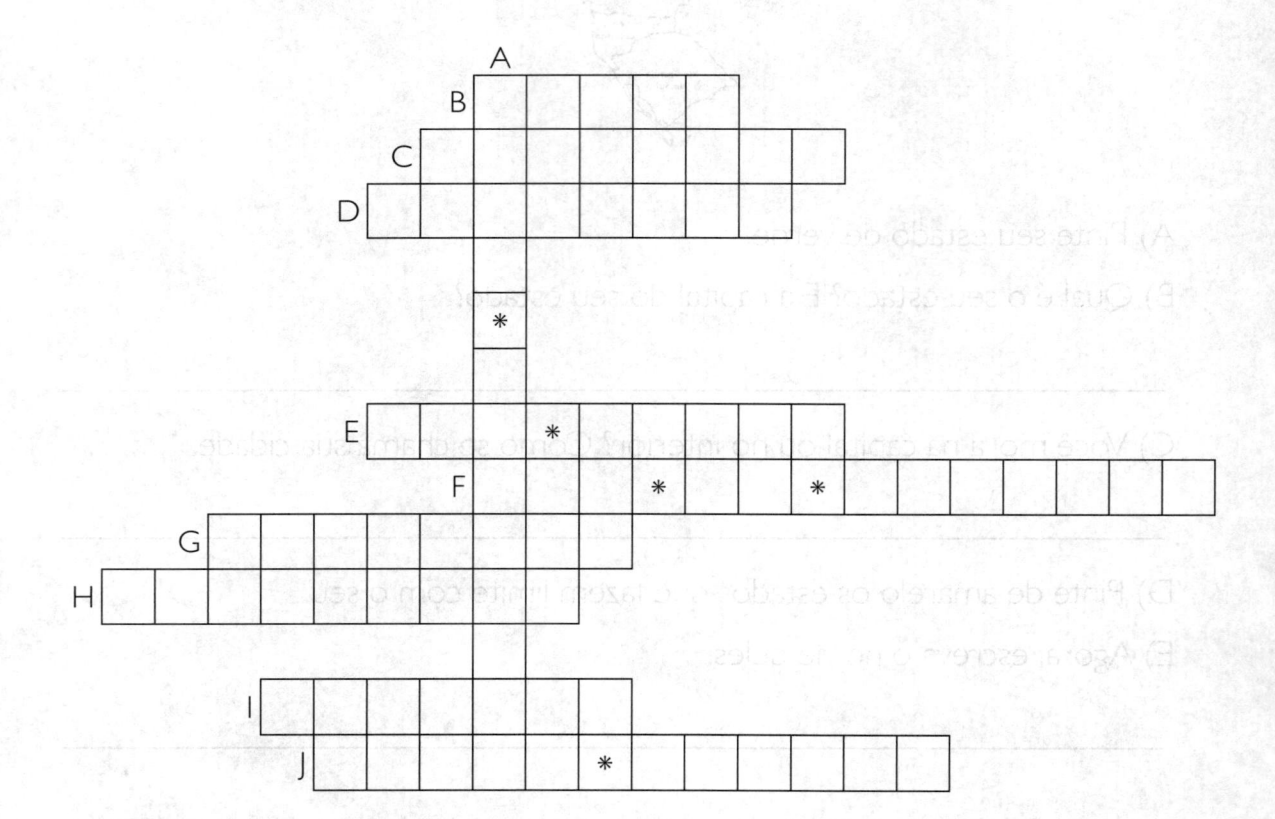

NOME: _____

DATA: ____/____/_____

38ª SEMANA

3. Escreva os estados, as siglas e as capitais brasileiras:

ESTADOS	SIGLAS	CAPITAIS
ACRE	_____	_____
AMAPÁ	_____	_____
AMAZONAS	_____	_____
PARÁ	_____	_____
RONDÔNIA	_____	_____
RORAIMA	_____	_____
TOCANTINS	_____	_____
GOIÁS	_____	_____
MATO GROSSO	_____	_____
MATO GROSSO DO SUL	_____	_____
ESPÍRITO SANTO	_____	_____
MINAS GERAIS	_____	_____
RIO DE JANEIRO	_____	_____
SÃO PAULO	_____	_____
ALAGOAS	_____	_____
BAHIA	_____	_____
CEARÁ	_____	_____
MARANHÃO	_____	_____
PARAÍBA	_____	_____
PERNAMBUCO	_____	_____
PIAUÍ	_____	_____
RIO GRANDE DO NORTE	_____	_____
SERGIPE	_____	_____
PARANÁ	_____	_____
RIO GRANDE DO SUL	_____	_____
SANTA CATARINA	_____	_____

3º ANO – 2A EDIÇÃO

38ª SEMANA

NOME: _____

DATA: ____/____/_____

NOME: _____

DATA: ___/___/_____

39ª SEMANA

REGIÕES BRASILEIRAS

São cinco as regiões brasileiras: Norte, Nordeste, Sudeste, Sul e Centro-Oeste.

As regiões são diferentes em número de estados, em população, em tamanho, em desenvolvimento e em aspectos naturais.

A Região Norte é a maior, mas é a menor em população.

A Região Sudeste ganha em relação ao desenvolvimento e é a região mais montanhosa.

A Região Norte é a mais verde, com maior área de floresta.

A divisão do Brasil em regiões foi feita para facilitar o estudo e o conhecimento do país e de cada região.

3º ANO — 2A EDIÇÃO

123

39ª SEMANA

NOME: _____

DATA: ____/____/_____

1. Identifique as regiões por meio dos mapas:

NOME: _____

DATA: ____/____/_____

39ª SEMANA

2. Observe o mapa e faça o que se pede:

A) Quantas e quais são as regiões brasileiras?
_____

B) Em qual região seu estado está localizado?
_____

C) Cite uma característica da sua região.
_____

D) Qual é a maior região brasileira?
_____

E) Qual é a menor região brasileira?
_____

39ª SEMANA

NOME: _____

DATA: ___/___/_____

3. Leia e responda:

A floresta amazônica

A floresta amazônica, localizada na Região Norte do Brasil, possui uma das mais ricas biodiversidades do mundo. Isso significa que, nessa floresta, há uma grande variedade de seres vegetais e animais.

Com relação à fauna presente na floresta amazônica, existem cerca de 1.800 espécies diferentes de aves, 2.500 de peixes, 320 de mamíferos e dezenas de espécies de répteis, anfíbios e insetos.

A flora é muito rica, também, abrigando cerca de 30 milhões de espécies vegetais. As de maior destaque são: seringueira, castanheira, cacaueiro e vitória-régia.

A) Em qual região a floresta amazônica está localizada?
_____

B) Quais estados fazem parte dessa região?
_____

C) Qual é o clima predominante da Região Norte?
_____

D) Como é a vegetação dessa região?
_____

4. Observe o mapa. Qual é a região destacada? Escreva os estados que fazem parte dela.
_____
_____
_____

126

3º ano — 2A EDIÇÃO

NOME:_____

DATA:____/____/_____

40ª SEMANA

AINDA SOBRE AS REGIÕES BRASILEIRAS

1. O Brasil está organizado em regiões. Crie uma legenda para cada uma delas e pinte o mapa.

☐ _____

☐ _____

☐ _____

☐ _____

☐ _____

2. Escreva as siglas dos estados de cada região.

NORTE	CENTRO-OESTE	NORDESTE

SUL	SUDESTE

3º ano — 2A EDIÇÃO

40ª SEMANA

NOME: _____

DATA: ____/____/_____

3. Encontre, no diagrama, as respostas e registre-as:

A) O Brasil está dividido em _____ regiões.

B) Regiões que fazem limite com a Região Sul são: _____
e _____.

C) A única região que faz limite com todas as regiões é a Região _____.

D) Regiões que fazem limite com a Região Nordeste são: _____, _____ e _____.

E) Nem todas as regiões são banhadas pelo _____.

F) Menor região é a Região _____.

G) Maior região é a Região _____.

N	E	H	O	A	P	N	U	A	B	A	D	N	P	N
A	C	E	N	T	R	O	-	O	E	S	T	E	G	O
E	I	N	G	B	A	R	W	R	C	I	N	C	O	R
E	A	U	O	U	S	T	S	I	B	G	O	A	A	D
S	U	D	E	S	T	E	A	O	H	P	A	M	D	E
T	S	A	B	R	A	H	J	U	I	A	D	A	A	S
A	O	P	A	E	A	N	A	S	U	L	A	R	B	T
D	A	S	O	A	A	E	G	P	U	A	N	B	E	E
O	C	E	A	N	O	A	T	L	Â	N	T	I	C	O
S	A	O	B	A	N	A	O	A	G	S	N	A	I	O

128 3º ANO — 2A EDIÇÃO

NOME: _____

DATA: ____/____/____

40ª SEMANA

4. Pinte as regiões brasileiras da próxima página com cores diferentes, recorte-as e monte o mapa das regiões. Depois, faça a legenda:

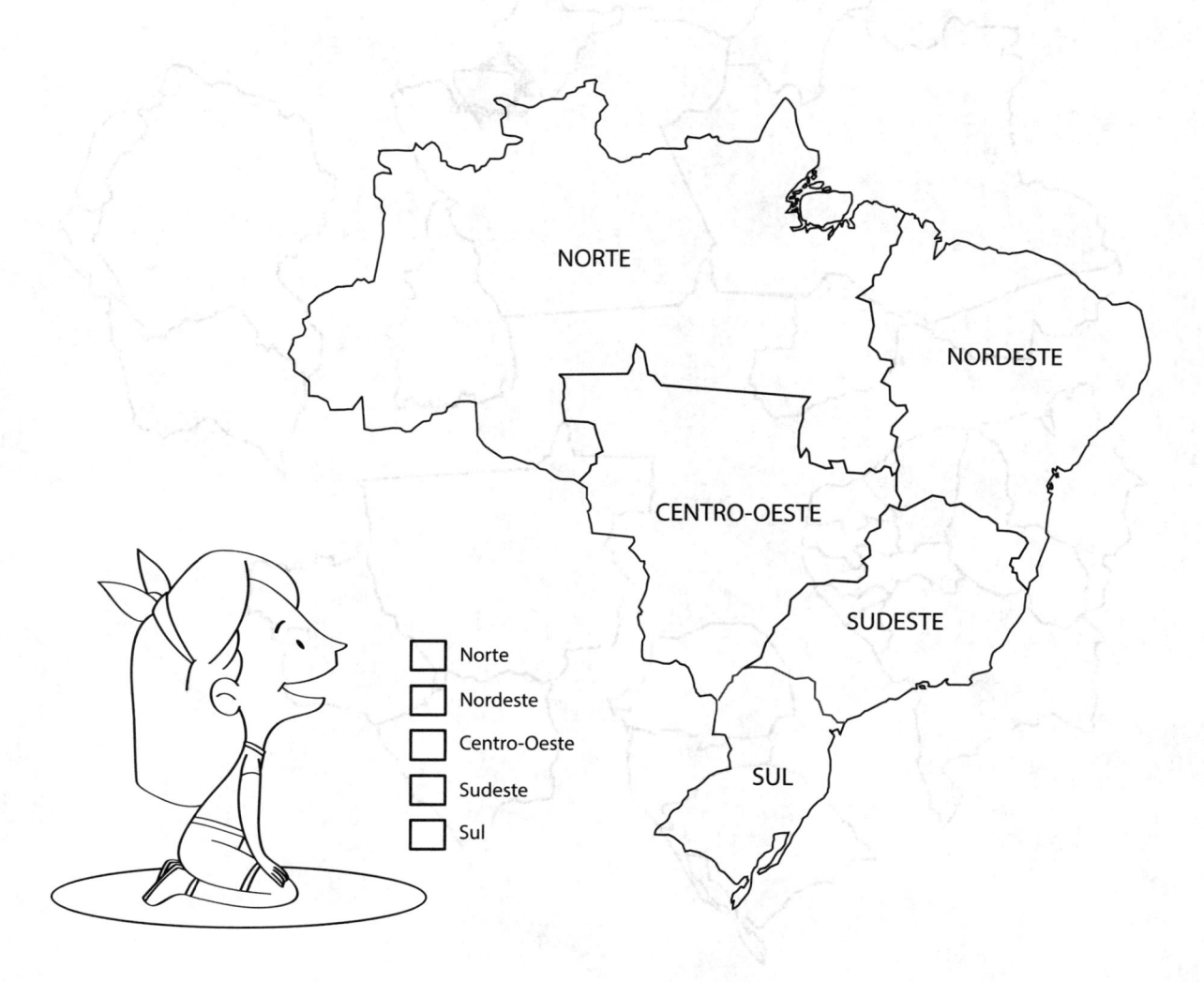

☐ Norte
☐ Nordeste
☐ Centro-Oeste
☐ Sudeste
☐ Sul

3º ano — 2A EDIÇÃO

40ª SEMANA

NOME: _____

DATA: ___/___/_____

QUEBRA-CABEÇAS DAS REGIÕES DO BRASIL

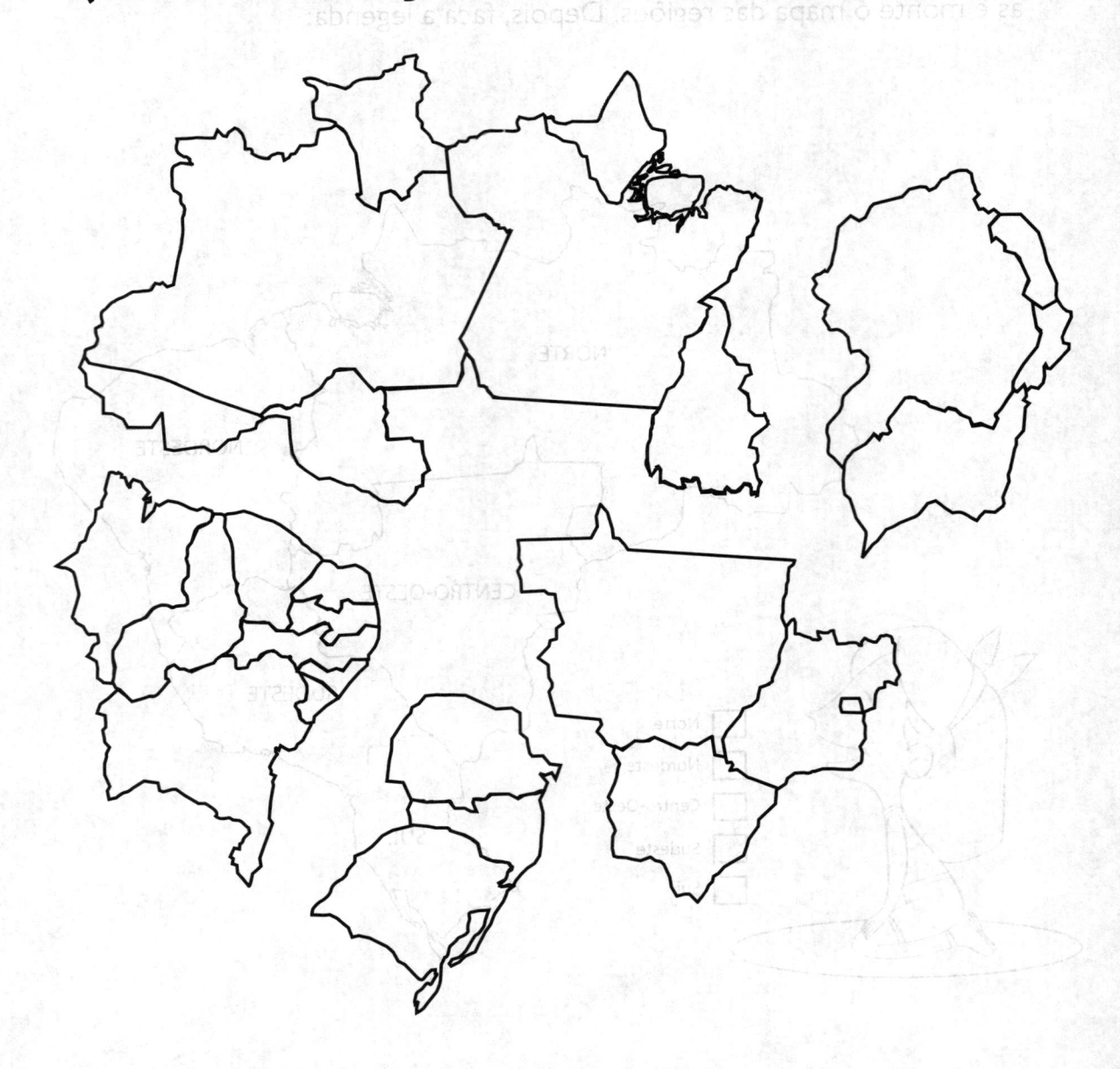

130   3º ano — 2A EDIÇÃO

RESPOSTAS DAS ATIVIDADES

Págs. 9/10/11/12/13 — **1.** Pessoal. **2.** A **Terra** é formada por uma parte **líquida** e uma parte **sólida**. A maior parte da Terra é formada por água. Nosso planeta é a **Terra**, e é representado pelo **globo terrestre** e pelo **mapa-múndi**. Moramos no Brasil e somos **brasileiros**. **3.** A) a D) Pessoal. **4.** Pessoal. **5.** Pessoal.

Págs. 14/15/16 — **1.** Pessoal. **2.** A) Os Estados estão divididos em municípios. B) Comércios, prédios, residências. C) Na área urbana, ficam as sedes dos municípios, os comércios, os prédios, as residências. Na área rural, encontramos área verde, sítios, fazendas. **3.** A) Água, esgoto, coleta de lixo. B) IPTU, IPVA, iluminação. **4.** A) Os limites de um município são rios, serras, montanhas, estradas de ferro e placas. B) Pessoal.

Págs. 17/18/19/20 — **1.** A) Quem governa o município é o prefeito. B) O prefeito e os vereadores são eleitos pelo voto por meio do voto em urnas. C) O Brasil está dividido em Estados. D) Cada município é uma parte do Estado. **2.** Pessoal. **3.** A) O prefeito. B) O governador. C) Eles são escolhidos por meio do voto direto. As eleições acontecem de 4 em 4 anos. D) Os vereadores. **4.** A) O município é a menor parte do nosso país. B) Ele é governado por um prefeito. C) Todo município possui suas próprias leis. **5.**

	Vereador	Prefeito	Secretário municipal
Administra o município		X	
Elabora leis	X		
Governa o município		X	
Cuida dos serviços públicos			X

6. No ano de 2022. **7.** A) a D) Pessoal.

Págs. 21/22/23 — **1.** A **Terra** é formada por uma quantidade grande de **água**. A água pode ser **salgada** ou **doce**. O estudo das águas da Terra é chamado de **hidrografia**. Oceano é uma grande extensão de água salgada. O oceano que banha o Brasil é o **Oceano Atlântico**. O espaço entre a água e a terra é a **praia**. **2.** A) A D) Pessoal. **3.** A) Arquipélago. B) Cabo. C) Ilha. D) Praia. E) Lago. F) Baía. G) Lagoa.

Págs. 24/25/26/27 — **1.** Irrigar as plantações. / A água dos rios é tratada e levada até nossas casas para várias utilidades. / O rio é fonte de alimento. Dele se retiram peixes. / É utilizado para o transporte de pessoas e cargas. / As grandes quedas dos rios são utilizadas para produzir energia elétrica. **2.**
(A) Foz
(B) Nascente
(C) Leito
(D) Afluente
(D) Rio que deságua em outro rio.
(C) Lugar onde o rio corre.
(A) Lugar onde o rio despeja sua águas.
(B) Lugar onde o rio nasce.

3. 1. Nascente. 2. Afluente. 3. Curso. 4 e 5. Margens. 6. Foz. **4.** Pessoal. **5.** Pessoal.

Págs. 28/29/30 — **1.** A) Rios. B) Paisagem. C) Turbinas. D) Energia elétrica. E) Barragem. **2.** Porque, com o aumento de consumo de eletricidade, é necessário construir mais usinas e, com isso, trazer sérios problemas às paisagens. **3.** A construção de uma usina traz, para a população, energia elétrica e seus diversos benefícios. **4.** É necessário construir uma barragem que servirá para armazenar a água em represas. **5.** A força da água é que gera energia elétrica. **6.**

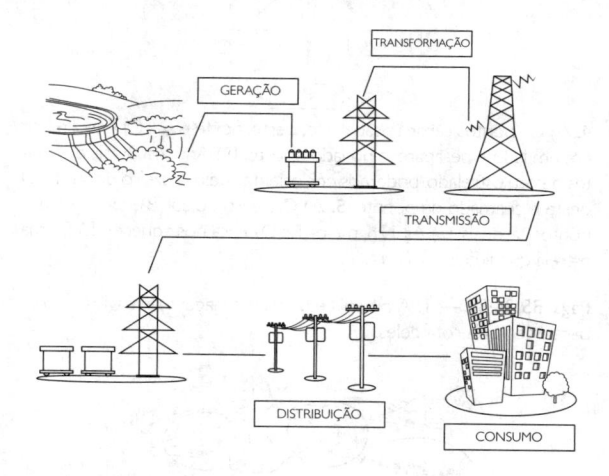

7.

Funciona com energia	Não funciona com energia
Geladeira, liquidificador, batedeira, televisor, computador, tablet, celular	Cadeira, bola, *skate*, bicicleta

Págs. 31/32/33/34 — **1.**

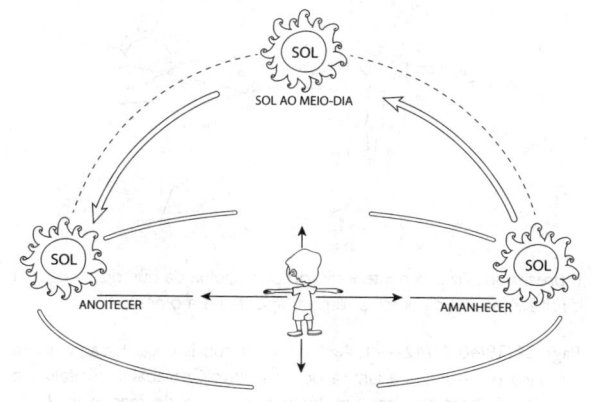

2. A) Leste. B) Oeste. C) Oeste. D) Leste, oeste, norte, sul. **3.**

3º ano — 2A EDIÇÃO

RESPOSTAS DAS ATIVIDADES

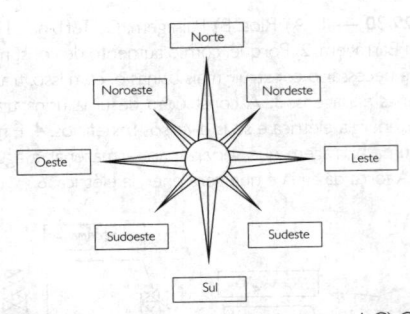

4. A) Os pontos cardeais são: leste, oeste, norte e sul. C) O sol nasce em um lado e desaparece no lado oposto. D) Aqui no Brasil, em noites de céu estrelado, podemos nos orientar pelo cruzeiro do sul. F) O oeste é chamado de poente. **5.** A) Cruzeiro do sul. B) Por meio dos pontos cardeais. C) Às 12h, meio-dia. D) Para nos aquecer. E) É uma estrela que ilumina a Terra.

Págs. 35/36/37 — **1.** A bússola é usada nas viagens de navios e avião, para orientar a rota deles. **2.**

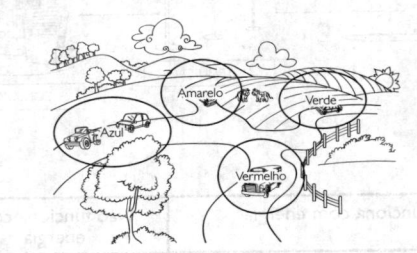

3. A) Porque, para ver algumas estrelas, precisamos do auxílio do telescópio. B) A bússola. Além de mostrar os pontos cardeais, também indica os pontos colaterais. **4.**

É preciso localizar o norte indicado pela agulha da bússola e seguir à direita. A agulha da bússola sempre aponta para o norte.

Págs. 38/39/40/41/42 — **1.** Agricultura de subsistência. É a agricultura cultivada e destinada à família do agricultor. O trabalho é realizado pela família com técnicas simples e sem o uso de máquinas. **2.** A) Policultura. B) Sustento da família. C) Monocultura. D) Agricultura comercial. E) Fruticultura. F) Agricultura orgânica. **3.** Preparar o solo. É necessário remexer a terra. / Fertilizar o solo, isto é, adubar. / Retirar o excesso de água do solo. / Irrigar o solo sempre. **4.** A) Lavradores. B) Floricultura. C) Agricultura. D) Drenar. E) Horticultura. F) Irrigar. G) Adubar. H) Fruticultura.

Págs. 43/44/45/46 — **1.** Cavalo: equino; búfalo: bubalino; ovelha: ovino; galinha, galo, pintinho, peru e pato: avicultura; vaca: bovino; bode: caprino; porco: suíno. **2.** A) Animais criados soltos se alimentando de pastagem natural. Não existe técnica no manuseio de animais e o produto retirado é vendido para os mercados e seu couro, para indústrias. B) Os animais são criados presos e se alimentam de ração e pastagem cultivada. Recebem cuidados especiais. São utilizadas técnicas modernas para a criação e a reprodução deles. **3.** A) Equinocultura. B) Ranicultura. C) Ovinocultura. D) Bovinocultura. E) Apicultura. F) Suinocultura. G) Avicultura. **4.**

AGRICULTURA	PECUÁRIA
Feijão	Carne
Cenoura	Osso
Laranja	Leite
Algodão	Couro
Batata	Lã
Beterraba	Manteiga
Milho	
Soja	
Arroz	

Págs. 47/48 — **1.** Pessoal. **2.** Pessoal.

Págs. 49/50/51/52 — **1.**

Indústria mineral	Indústria vegetal	Indústria animal
Manganês	Seringueira	Caça
Alumínio	Hortelã	Pesca
Bauxita	Carnaúba	
Quartzo	Hortelã	
Ouro	Babaçu	
Carvão vegetal	Lápis	
Prata	Erva-doce	
Cobre	Borracha	
Ferro	Madeira	

2. A) Castanha-do-pará. B) Carvão mineral. C) Babaçu. D) Erva-mate. E) Madeira. F) Látex. G) Carnaúba. **3.** (A) Caça / (V) Derrubada de matas / (M) Extração de ouro / (V) Coleta de frutos / (A) Pesca / (M) Retirada de minérios da natureza. **4.** Pessoal.

Págs. 53/54/55/56 — **1.**

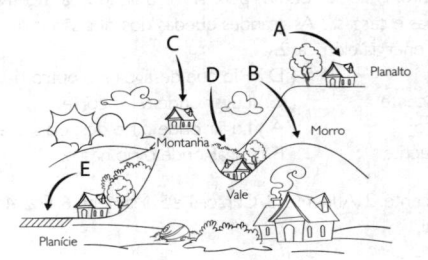

132

3º ano — 2A EDIÇÃO

RESPOSTAS DAS ATIVIDADES

A) Grande extensão de terreno elevado. B) Elevação de terra menor que as montanhas. Aparece de forma isolada. C) Grande elevação de terra. D) Terreno baixo que fica entre montanhas, montes ou morros. E) Terreno plano com pequenas ondulações. **2.** A) Relevo. B) Morro. C) Serra. D) Planalto. E) Monte. F) Vale. G) Montanha. H) Ilha. I) Planície. **3.** Pessoal.

Págs. 57/58 — **1.** Pessoal.

Págs. 59/60/61/62 — **1.** A) Clima. B) Frio. C) Outono. D) Úmido. E) Inverno. F) Primavera. G) Verão. **2.** A) Chove / frio. B) Chuvosa / seca. C) Calor / chove. D) Chove / Brasil. **3.** Vento, calor, umidade do ar e chuva. **4.** A) Umidade do ar. B) Chuva. C) Vento. D) Calor. **5.** A) Lareira e aquecedor. B) Ventilador, ar-condicionado, leques.

Págs. 63/64 — **1.** Ensolarado / Sol entre nuvens / Nublado / Chuvoso / Tempo fechado com raios e trovões. **2.** Tempo é um estado momentâneo da atmosfera, ao passo que o clima refere-se a um período de tempo maior. Está relacionado às estações do ano. **3.** Pessoal. **4.** Pessoal. **5.** Pessoal.

Págs. 65/66/67 — **1.** A) Calor. B) Época das colheitas. C) Frio. D) Flores. **2.** A) V. B) F. C) V. D) V. E) F. F) V. **3.** De cima para baixo: (2), (4), (1), (3). **4.** A) O **verão** é marcado por muito sol e dias **chuvosos**. B) O **outono** é a estação dos **frutos**. As folhas caem das árvores. C) A **primavera** é o período em que a natureza fica bela. É a estação mais bonita. A estação das **flores**. D) No **inverno**, pode ocorrer a incidência de neve e geadas. É a estação do **frio**. **5.** Pessoal.

Págs. 68/69/70/71 — **1.** Mangue, campo / caatinga, cerrado / floresta, vegetação litorânea. **2.** Cerrado, floresta, caatinga, campo. **3.** Pintar: litorânea, caatinga, cerrado, floresta, campos. **4.** A) F. B) V. C) V. D) F. E) V. F) V.

Págs. 72/73 — **1.** Pessoal.

Págs. 74/75/76/77 — **1.** A) A construção da ponte. B) O aluno deverá pintar o rio, as árvores, a nuvem e a vegetação. **2.** Modificada, natural, modificada / Natural, modificada, modificada. **3.** Pessoal. **4.** A) a D) Pessoal. **5.** A) Montanhas, mar, rios, animais, florestas. **6.** C) Prédios, casas, parques, praças, rodovias.

Págs. 78/79/80/81 — **1.**

Matéria-prima	Produtos industrializados
Carne, leite, couro, ossos	Carnes em conserva, queijo, iogurte, manteiga, sapatos, bolsas, cintos, malas, pentes, botões, gelatinas
Carne, couro, gordura	Carne, linguiça, banha, presunto, salames
Carne, couro, lã	Carne, couro para agasalhos, luvas, carteiras, fios, tecidos
Mel, cera, própolis	Mel, velas, xaropes e pomadas
Ouro, prata	Talheres, joias, adornos, utensílios
Milho, trigo	Farinha, pão, bolachas, macarrão, sopas
Cana-de-açúcar	Garapa, rapadura, melado, açúcar, álcool
Ouro, prata	Talheres, joias, adornos, utensílios
Petróleo	Gás, gasolina, óleo diesel, querosene, asfalto
Granito, cristais, mármore	Pias, mesas, calçamento, pisos, adornos

2. Pessoal. **3.** A) É o primeiro elemento usado em um processo de industrialização. B) São transformadas nas fábricas e nas indústrias. C) Podem ser de origem mineral, animal ou vegetal. **4.** Pessoal.

Pág. 82 — **1.** Pessoal.

Págs. 83/84 — **1.** Pessoal.

Págs. 85/86/87 — **1. Vegetais:** ervas, raízes, madeira. **Minerais:** garimpos. **Animais:** pesca, caça. **Base:** química, metalúrgica, siderúrgica. **Bens de consumo:** bebidas, têxtil, alimentícia. **2.** A) A matéria-prima pode ser de origem **vegetal**, mineral e animal. B) As **indústrias** são de vários tipos. As que produzem alimentos são **alimentícias**. As indústrias que produzem tecidos são as **têxteis**. As que fabricam peças de carros são as **automobilísticas**. C) A **farinha** é um produto industrial, porque foi fabricado pela indústria. O trigo foi a **matéria-prima** utilizada na fabricação da farinha. **3.** A) V. B) F. C) F. D) V. E) V.

Págs. 88/89/90/91 — **1.** A) Padaria. B) Ótica. C) Livraria. D) Farmácia. E) Sapataria. F) Loja. G) Açougue. **2.** A) Comércio. B) Comerciários. C) Comerciantes. D) Camelô. E) Atacadista. F) Varejista. **3.** A) Pessoal. B) Preferem realizar nos grandes supermercados e nos *shoppings*, onde encontram grande quantidade e variedade de produtos. C) Consumidores, fregueses ou clientes. **4.** Sapataria, farmácia, papelaria, banca, sorveteria, supermercado, livraria, loja de roupa.

Págs. 92/93 — **1.** Pessoal. **2.** A) Leite em pó desnatado. B) Viva Bem. C) Leite de vaca. D) Animal. E) Ter uma alimentação mais leve e nutritiva.

Págs. 94/95/96/97 — **1.** 3, 1, 1 / 2, 1, 3 / 2, 3, 2. **2.** Pessoal. **3.** A) O homem fazia caminhadas a pé ou utilizava animais como transporte. B) Eles são importantes para o desenvolvimento. Eles deslocam pessoas e mercadorias de um lugar para o outro de forma rápida. C) Transportes fluviais são aqueles que navegam em rios. Marítimos são aqueles que navegam em mares. **4.**

Aéreo	Aquático	Terrestre
Avião	Navio	Cavalo
Helicóptero	Barco	Trem
Jatinho	Submarino	Metrô
		Carro
		Ônibus
		Moto

3º ano — 2A EDIÇÃO

RESPOSTAS DAS ATIVIDADES

Avião, navio, submarino, trem, metrô e ônibus são transportes que transportam muitas pessoas ao mesmo tempo.

Págs. 98/99/100/101 — **1.** I, C, C, I, C, I. A) Tenho de olhar para os dois lados antes de atravessar a rua. B) Devemos usa o cinto de segurança toda vez que entrarmos no carro, independentemente da distância. C) No semáforo de veículos, a cor vermelha significa pare. **2.** Pare! = vermelho / Atenção! = amarelo / Siga! = verde. **3.**

T	P	E	D	E	S	T	R	E	L	M
R	Ç	W	P	L	A	C	A	S	D	O
Â	A	F	G	H	I	J	K	L	M	T
N	C	N	O	P	Q	R	T	S	U	O
S	E	G	U	R	A	N	Ç	A	A	R
I	D	X	Z	A	B	C	D	N	E	I
T	E	G	U	R	A	N	Ç	A	Q	S
O	N	F	G	H	I	J	K	L	M	T
V	T	N	O	P	Q	R	S	T	U	A
E	A	U	T	O	M	Ó	V	E	L	X

4. A) a E) Pessoal.

Págs. 102/103/104 — **1.** Siga em frente / Proibido estacionar / Proibido virar à esquerda / Sentido de circulação da via/pista / Parada obrigatória. **2.**

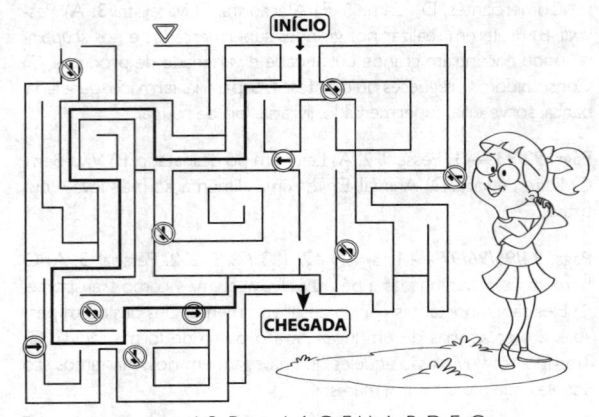

Tempo gasto: pessoal. **3.** Pessoal. **4.** C, F, H, A, B, D, E, G.

Págs. 105/106/107 — **1.** Pessoal.

Págs. 108/109/110/111/112 — **1.** Pessoal. **2.** A) Telefone. B) Carta. C) Jornal. D) Fala. E) Internet. F) Rádio. **3.** A) a D) Pessoal. E) Gestual, falada, escrita e virtual. F) e G) Pessoal.

Págs. 113/114/115 — **1.** A) a F) Pessoal. **2.** A) Televisão. B) Carta. C) Livro. D) Rádio. E) Telegrama. **3.** A) Jornal. B) Televisão. C) Telefone. D) Telegrama. E) Rádio. F) Carta. **4.** Pessoal. A) Pessoal. **5.** Pessoal.

Págs. 116/117 — **1.** A) a I) Pessoal. **2.** Pessoal.

Págs. 118/119/120/121/122 — **1.** A) a E) Pessoal. **2.** A) Brasília. B) Pessoal. C) 26 Estados e 1 Distrito Federal. **3.** A) Belo Horizonte. B) Belém. C) Teresina. D) Salvador. E) São Paulo. F) Rio de Janeiro. G) Curitiba. H) Fortaleza. I) Goiânia. J) Porto Alegre. **3.**

Estados	Siglas	Capitais
Acre	AC	Rio Branco
Amapá	AP	Macapá
Amazonas	AM	Manaus
Pará	PA	Belém
Rondônia	RO	Porto Velho
Roraima	RR	Boa Vista
Tocantins	TO	Palmas
Goiás	GO	Goiânia
Mato Grosso	MT	Cuiabá
Mato Grosso Do Sul	MS	Campo Grande
Espírito Santo	ES	Vitória
Minas Gerais	MG	Belo Horizonte
Rio de Janeiro	RJ	Rio de Janeiro
São Paulo	SP	São Paulo
Alagoas	AL	Maceió
Bahia	BA	Salvador
Ceará	CE	Fortaleza
Maranhão	MA	São Luís
Paraíba	PB	João Pessoa
Pernambuco	PE	Recife
Piauí	PI	Teresina
Rio Grande Do Norte	RN	Natal
Sergipe	SE	Aracaju
Paraná	PR	Curitiba
Rio Grande Do Sul	RS	Porto Alegre
Santa Catarina	SC	Florianópolis

Págs. 123/124/125/126 — **1.** Região Norte / Região Sul / Região Centro-Oeste / Região Nordeste / Região Sudeste. **2.** A) São cinco as Regiões brasileiras: Norte, Nordeste, Sudeste, Sul e Centro-Oeste. B) Pessoal. C) Pessoal. D) Região Norte. E) Região Sul. **3.** A) Região Norte. B) Acre, Amapá, Amazonas, Pará, Rondônia, Roraima e Tocantins. C) Equatorial úmido. D) A vegetação é coberta pela Floresta Amazônica. **4.** Região Sul. Fazem parte dela os Estados do Paraná, de Santa Catarina e do Rio Grande do Sul.

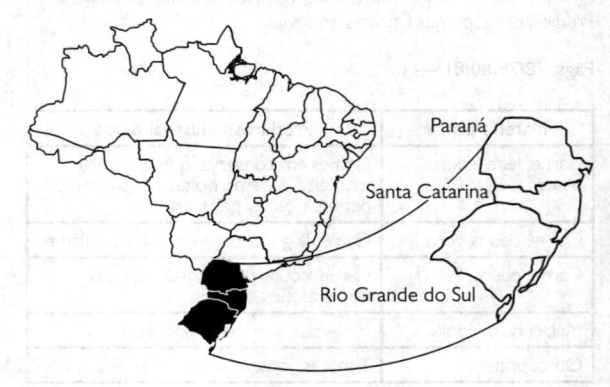

134

3º ano — 2A EDIÇÃO

RESPOSTAS DAS ATIVIDADES

Págs. 127/128/129/130 — **1.** Região Norte, Região Nordeste, Região Centro-Oeste, Região Sudeste, Região Sul. **2. Norte:** AC, AP, AM, PA, RO, RR, TO. **Nordeste:** AL, BA, CE, MA, PB, PE, PI, RN, SE. **Centro-Oeste:** GO, MT, MS. **Sul:** PR, RS, SC. **Sudeste:** ES, MG, RJ, SP. **3.** A) O Brasil está dividido em <u>cinco</u> regiões. B) Regiões que fazem limite com a Região Sul são: <u>Sudeste</u> e <u>Centro-Oeste</u>. C) A única região que faz limite com todas as regiões **é a Região <u>Centro-Oeste</u>**. D) Regiões que fazem limite com a Região Nordeste **são:** <u>Norte</u>, <u>Centro-Oeste</u> e <u>Sudeste</u>. E) Nem todas as regiões são banhadas pelo <u>Oceano Atlântico</u>. F) Menor região é a Região <u>Sul</u>. G) Maior região é a Região <u>Norte</u>.

N	E	H	O	A	P	N	U	A	B	A	D	N	P	N
A	C	E	N	T	R	O	-	O	E	S	T	E	G	O
E	I	N	G	B	A	R	W	R	C	I	N	C	O	R
E	A	U	O	U	S	T	S	I	B	G	O	A	A	D
S	U	D	E	S	T	E	A	O	H	P	A	M	D	E
T	S	A	B	R	A	H	J	U	I	A	D	A	A	S
A	O	P	A	E	A	N	A	S	U	L	A	R	B	T
D	A	S	O	A	A	E	G	P	U	A	N	B	E	E
O	C	E	A	N	O	A	T	L	Â	N	T	I	C	O
S	A	O	B	A	N	A	O	A	G	S	N	A	I	O

4. Pessoal.